7つの〝デキない〟を変える

〝デキる〟部下の育て方

井上顕滋
INOUE KENJI

幻冬舎MC

7つの〝デキない〟を変える
〝デキる〟部下の育て方

はじめに

集中できない、協力できない、ミスをしても反省しない――。

こうした「デキない」を抱える部下に対して一生懸命指導しているのに、いっこうに成長しないと悩んでいるマネジメント層の人は少なくありません。管理職1715人を対象にしたラーニングエージェンシーの「管理職意識調査」(2021年)によれば、管理職の悩みの第1位は「部下の育成」で、約半数の管理職が部下の育成に悩んでいることが明らかになっています。

部署全体のパフォーマンスを上げるため、そして部下の成長のためにと考えて、アドバイスしたり、指導を繰り返したりといろいろ働きかけるものの、なかなか相手に響いているという手ごたえが得られず、成果にも結びつかない……。何か良い指導方法はないかと模索し続けているうちに、負担を抱えて上司のほうが燃え尽きてしまうということともあります。

私は心理学、脳科学に基づいた人材育成・指導の独自メソッドを確立し、20年以上にわたって数多くの企業の研修に携わってきました。そのなかで、デキない部下を抱えているマネジメント層には、「ダメな部下の原因は部下にある」と考えている人が多くいました。しかし本来、「デキない」原因は上司側にあったり、部下側にあったりなど、それぞれで異なります。


例えば、部下が「集中できない」といった問題を抱えている場合、その原因は実は上司であるマネジメント層にあります。集中できない背景にあるのは「仕事の楽しさを感じられていない」、あるいは「仕事の意義や価値を理解できていない」といった部下の意識です。実際に現場を見てみると日頃からマネジメント層が部下の成果を適切に評価していない、モチベーション向上に正しくアプローチしていないといった状況が散見されます。

人は楽しいと感じるとき、脳内で快楽物質のドーパミンが分泌され、その経験をすると再び快楽物質を求めて集中して取り組もうとします。つまり部下は、上司から評価されることで成長を実感でき、楽しみを見いだし高い集中力をもって仕事をしてくれるのです。

逆に「スケジュールを守らない」という問題は、部下自身に原因があります。「守らなくても最終的になんとかなる」というマインドを根底に抱えているケースが大半であり、タスクの優先順位の考え方などを丁寧に指導していくことで少しずつ改善されていきます。

この場合は、単に「なぜ守れないのか」と問いただしても効果はありません。「スケジュール管理のうえで障害となっているものは何か」「優先順位はどのようにつけているか」といった、部下と同じ目線に立って解決に向けて考えさせることが大事になります。

このように「デキない」原因それぞれに適切なアプローチをすることが「デキる部下」に生まれ変わらせるうえで必要不可欠なのです。

本書では、部下の「デキない」を7つに分類し、改善させるメソッドをまとめました。またマネジメント層のマインドセットについても触れ、部下の能力を最大限に引き出せる達人になるにはどうすればよいかを解説します。本書が「デキない」部下を貴重な戦力に変え、部下育成に悩みを抱える人の助けとなれば幸いです。

第1章

いつまで経っても成長しない……
マネジメント層を悩ませる
〝デキない〟だらけの部下たち

第2章

なぜ、部下がいつまでも変わらないのか――。〝デキない〟タイプごとに原因を分析する

第3章

集中できない、守らない、反省しない……7つの〝デキない〟を変えて〝デキる〟部下に育てる

第4章

部下の成長は、企業の飛躍に直結する！適切なアプローチで指導の達人を目指す

第1章

いつまで経っても成長しない……
マネジメント層を悩ませる
〝デキない〟だらけの部下たち

部下の育成に悩む上司たち

人材育成は企業が成長するために欠かせないものであり、マネジメント層にとって部下の指導・育成は重要なミッションです。しかし実態は、部下に期待したほどの成長が見られないことに頭を悩ませながら、日々指導にあたっている上司が少なくありません。

部下の育成に関する調査を見ても、そうした状況がうかがえます。EdWorksの「部下育成の課題に関する実態調査」（２０２３年）によると、部下の育成に悩みを「非常に抱えている」と答えた人が14・7％、「やや抱えている」が47・３％ですから、何らかの悩みを抱えていると答えた人の合計が全体の６割を超えているのです。

私自身もこれまで20年にわたって企業研修に関わってきたなかで、部下を伸ばすにはどうすればいいのかと試行錯誤している上司の姿を数多く見てきました。最近、相談されることが多いのが「被害者意識の強い部下」「自分で考えようとしない部下」についての悩みです。

■部下育成の悩みを抱えているか

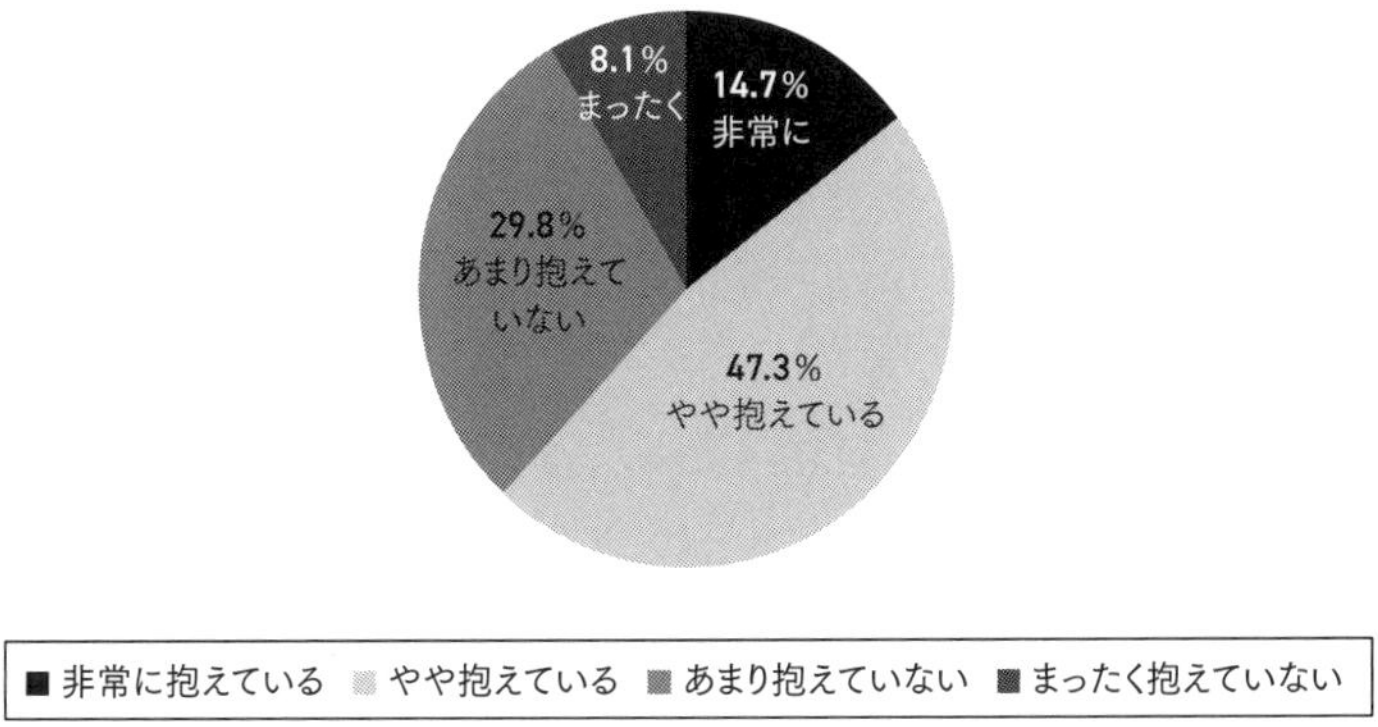

株式会社EdWorks　2023年6月オンライン「部下育成の課題に関する実態調査」を基に作成

「被害者意識の強い部下」というのは、自分がミスをしても指導係の先輩の教え方がよくなかったとか会社のシステムに問題があるなどと考える傾向がある人のことを指します。他人や環境に責任を転嫁して自分は悪くないと考えるため、上司が直接指導をしたとしても効果は限定的なことがほとんどです。

　あまりに被害者意識が強い部下であれば自分は悪くないのに上司に詰められた、上司からパワハラを受けたなどと言い出し、大きな問題になりかねません。そのため被害者意識の強い部下をもつ上司の多くは、どのように注意すればよいのかという悩みを抱えてしまうのです。

自分で考えようとしない部下への指示出しの難しさ

もう一つの「自分で考えようとしない部下」というのは、具体的にはマニュアルにないイレギュラーな事態が発生するたびに、どのように対応すればいいかを上司のもとに聞きにくるような部下のことです。もちろんトラブルが起きたときに上司に相談すること自体は正しいのですが、些細《ささい》なことまでいちいち聞きに来られるようでは決して良いとはいえません。

気になるのは、部下への指示を事細かに出す上司が多いことです。ミスを未然に防ごうとする意図があるのだと思いますが、上司に指示されたとおりにすればよいと部下が考えるようになってしまえば、成長はさらに遠のきます。上司に依存してばかりでは責任ある仕事を任せることはできませんし、そのような状態では部下の中で仕事をやらされているという感覚が強くなり、仕事に面白さを感じることもできません。仕事を面白く感じられなければなかなか集中して取り組めませんから、ミスも多くなります。仕事に対するモチベーションも上がらないので、効率も上がりません。上司にとっても仕事を頼むたびに細かく指示を出さなければならないため、負担が大きくなります。

このように上司が良かれと思って丁寧に出した指示が、部下の成長をさまたげる結果につながりかねないのです。とはいえ、部下自身で考えてもらうためにはどのように指導すべきなのかが分からず、多くの上司が頭を抱えているのです。

一見優秀な社員の周りで次々とトラブルが発生することも

上司を悩ませる部下が、必ずしも仕事の能力やスキルが低い人ばかりだとは限りません。

スキルも能力も高くて十分なクオリティーのアウトプットができる社員が、周囲とのコミュニケーションをうまくとれずに職場を崩壊させてしまうこともあり得ます。入社当初は即戦力として活躍できるのではないかと周囲に期待されていたり、自分に自信をもっている新人が入ってきたりする場合に注意しなければならないのがこうしたケースです。

例えば、一流といわれる大学を卒業した人が、中途入社で新しく職場に入ってきたときに起こり得ます。いくら学歴が立派で能力が高い人でも、まずはその職場での仕事の手順や方法を覚えてもらう必要があります。しかしこの時、教える側の上司がどんなに言葉を選んで指導したとしても、部下のなかには自分は優秀だという自負があり、これまでの自分のやり方を否定されたと受け取る人が出てくるのです。さらには仕事のやり方だけでなく自分という人間自身を否定されたとゆがんだ認識をすることもあります。

そうすると、上司を敵と見なして攻撃してくるという最悪のパターンが起こることも考えられます。ゆがんだ認識をしてしまうような心理状態では、他責思考で物事をとらえてしまうことが多く、業務上で何かしらのトラブルが起きたときに原因を周囲の人間や環境のせいにして自分は悪くないと主張します。弁が立つ人なら自分が正しいということを証明しようとして次々に周囲を巻き込み、職場の雰囲気が悪くなり周りの社員も疲弊してしまうのです。

指導係の先輩社員や直属の上司がなんとか円満に解決しようと心を砕くことで収まればよいのですが、そうでない場合、最近ではSNSに書き込むなどして事態がより深刻になってしまうこともあります。そして、その一人の社員の周りで離職者が相次ぎ、結果として部署が崩壊に向かうこともあり得るのです。

部下側は自身の成長についてどう考えているのか

部下との関わり方に頭を悩ませている上司からは、部下にあたる若者世代との考え方のギャップを感じるという意見が頻繁に上がります。いわゆるZ世代にあたる90年代半ば～00年代初頭生まれの若手社員を部下にもつ人も増えてきており、仕事に対してどのような認識をもつ世代なのかを知っておく意義は大いにあると思います。

さまざまな調査で取り上げられているのが、部下自身に成長意欲がないという問題です。入社1～2年目の社員を対象に行われた日本能率協会マネジメントセンターの「イマドキ新入社員の仕事に対する意識調査2022」によると、自分が成長することについてどのように考えるかという質問に対して、「無理のない範囲で業務に取り組みたい」と回答した1~2年目社員の割合が「一時的に業務の負荷や労働時間が増えても挑戦したい」と回答した人の割合を上回りました。さらに、一人で担当につけるようになったらどのような仕事を任せてもらいたいかという質問では「失敗したくないので、責任ある大きな仕事は任されたくない」と回答した人が5割以上にのぼっています。近年、働き方の価値観が多様化するなかで、出世よりも家族との時間や趣味にかける時間を重視する人が増加していることが一因にあると考えられます。

また、リクルートワークス研究所が大企業に勤める社員を対象にした就労状況定量調査（2021年）では、新入社員期に上司・先輩から叱責される機会が「一度もなかった」という人の割合は、1999~2004年卒では9・6%だったのに対し、2019~2021年卒の社員では25・2%でした。つまり、最近の若手社員の4人に1人は上司や先輩から一度も叱責されたことがなく、したがって注意を受けることへの耐性がないことが考えられます。

また、日本能率協会マネジメントセンターの「イマドキ新入社員の仕事に対する意識

Q 自分自身が成長することについて、どのように考えますか

A：一時的に業務の負荷や労働時間が増えても挑戦したい

B：無理のない範囲で業務に取り組みたい

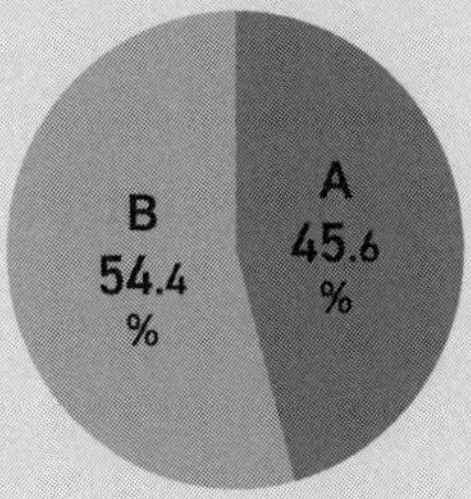

Q 仕事を一人で担当していけるようになったら、どのような仕事を任せてもらいたいですか

A：失敗したくないので、責任ある大きな仕事は任されたくない

B：やりがいを得るために、責任ある大きな仕事を任されたい

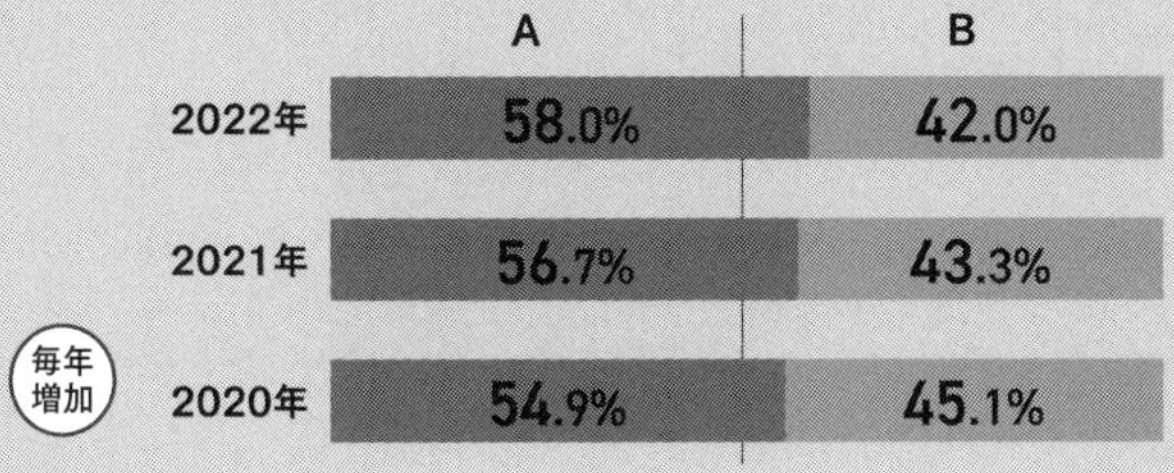

日本能率協会マネジメントセンター「イマドキ新入社員の仕事に対する意識調査2022」

■新入社員期に職場の上司・先輩から叱責される機会（一度もなかった割合）

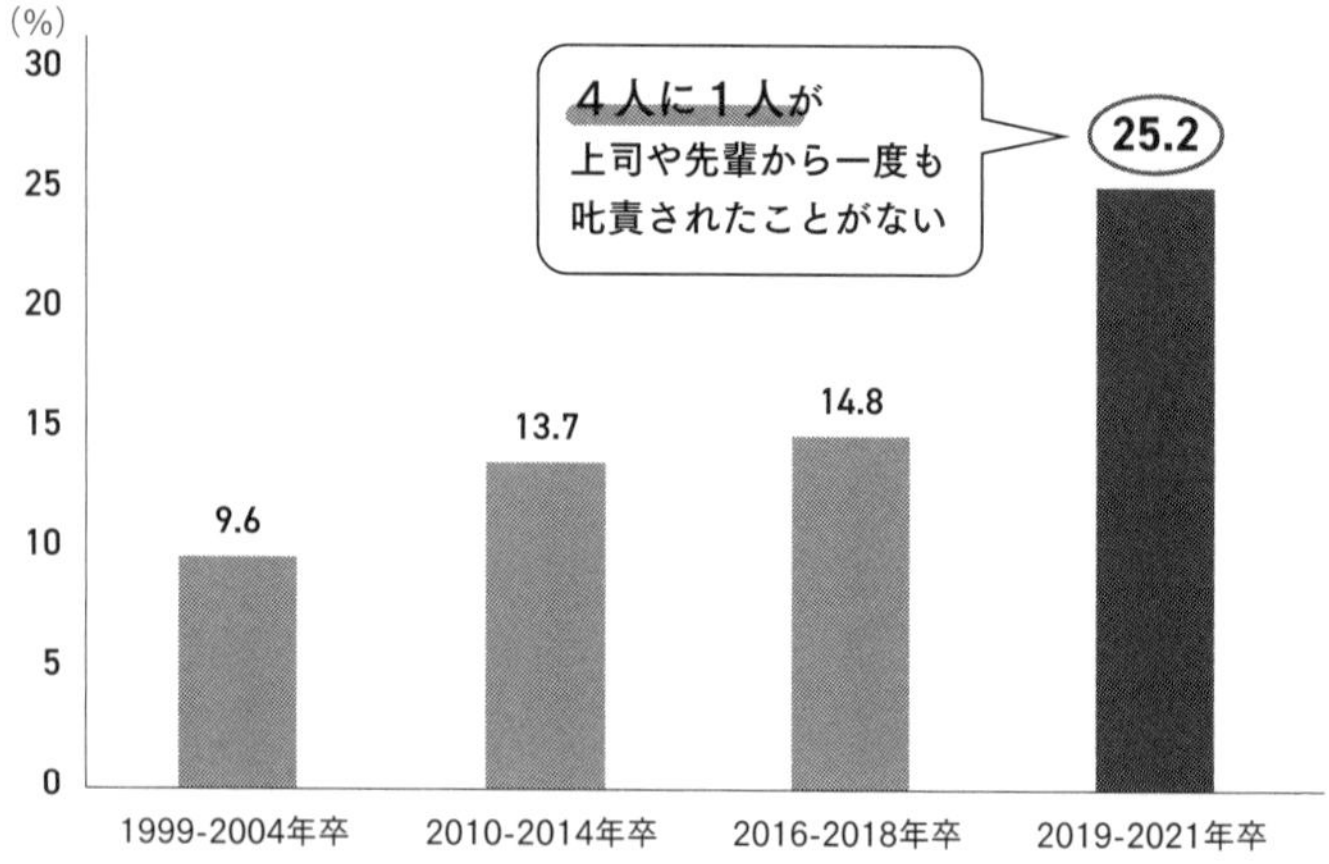

リクルートワークス研究所「大手企業新入社会人の就労状況定量調査（2021年）」を基に作成

調査２０２２」を見てみると、「上司・先輩から叱られたら、その後、どのような関係を持とうと思いますか」という質問に対し、新入社員の4割が「一定の距離を置きながら、あまり関わらないようにしようと思う」と回答しています。「自分の価値観・考え方と合わない上司に対して、どのように関わっていこうと思いますか」という質問に対しては、「自分から歩み寄ろうとは思わない」と回答した人が約6割にのぼりました。

その半面、「仕事で行き詰まっているとき、どのように感じますか」という質問については半数以上が「行き詰まって

Q 上司・先輩から叱られたら、その後、どのような関係を持とうと思いますか

A：こちらから関わりを持つようにして、必死で食らいつこうと思う
B：一定の距離を置きながら、あまり関わらないようにしようと思う

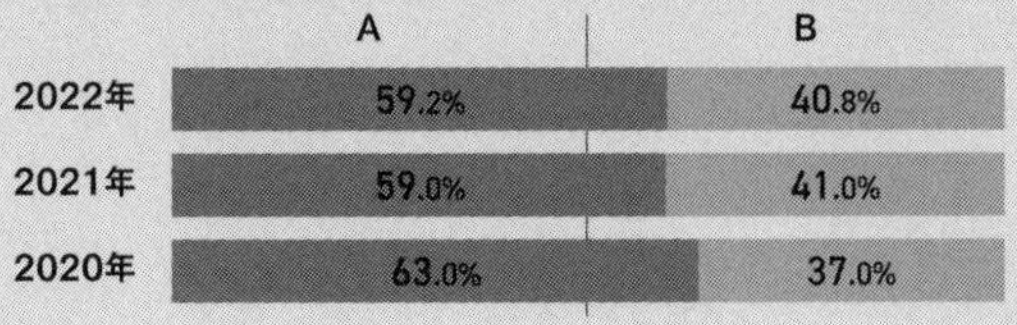

Q 自分の価値観・考え方と合わない上司に対して、どのように関わっていこうと思いますか

A：自分から歩み寄ろうと思わない
B：自分から歩み寄るよう努力する

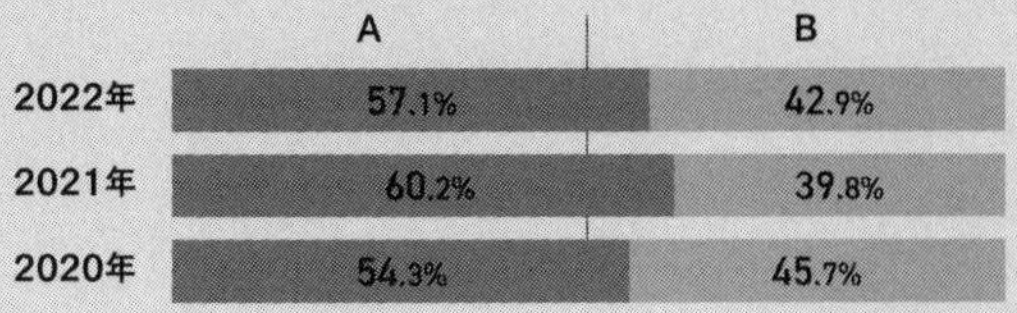

Q 仕事で行き詰まっているとき、どのように感じますか

A：行き詰まっている状況を上司・先輩に察してもらい、向こうから話しかけてもらいたい
B：こちらから上司・先輩に話しかけ、相談にのってもらおうと思う

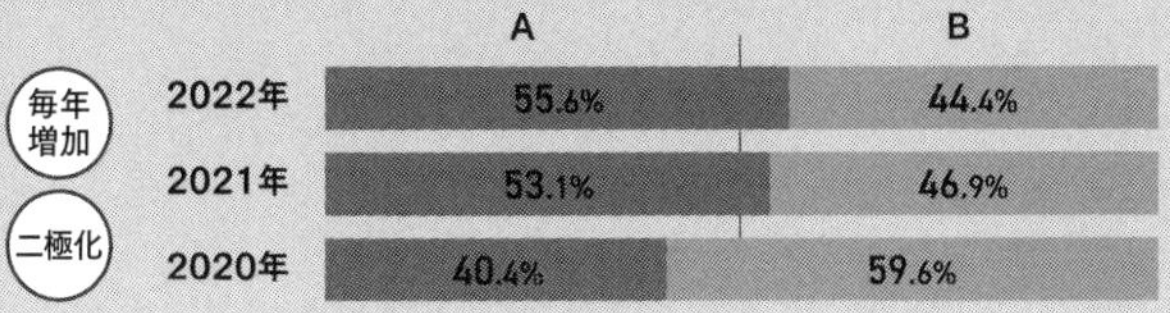

日本能率協会マネジメントセンター「イマドキ新入社員の仕事に対する意識調査2022」

いる状況を上司・先輩に察してもらい、向こうから話しかけてもらいたい」と回答しています。

これらの結果をまとめると、出世への意欲が見られなかったり、失敗を恐れて挑戦しなかったりする社員は特別珍しくはないことが分かります。現在の若手社員は「価値観の合わない上司には近づきたくないけれど自分が困っているときには察して話しかけてもらいたい。ただ、叱られたら一定の距離をおいてあまり関わらないようにする」というスタンスということになりますから、上司はより細かな配慮が必要になってくるわけです。このような若手世代の傾向が、ただでさえ部下の育成に四苦八苦している上司をさらに悩ませている要因だと考えられます。

上司のマネジメントできる人数が限界を超えている

近年の実情として、部下の指導に追われるマネジメント層が、そもそも多くの案件を抱えており忙し過ぎる状況におかれていることも、育成の悩みに拍車をかけていると思われます。多くの上司が、直接マネジメントできる人数を超えた部下を抱えている状況に陥っているのです。

Ａｍａｚｏｎの創業者の一人であるジェフ・ベゾスは、チームの人数について「ピザ2枚の法則」を唱えました。一つのチームはピザ2枚を分け合える人数、つまり8人程度がちょうどよいというものです。

一人が直接マネジメントできる人数について、私は5～9人が適切だと考えています。これはアメリカの認知心理学者ジョージ・ミラーが1956年に発表した論文「マジカルナンバー7±2」に基づいています。彼は、人が一度聞いただけで記憶できる容量が7±2（つまり5～9）であると発表しました。

また、チーム編成理論の一つであるＦＦＳ（Five Factors & Stress）理論でも「最も生産性の高いチームの人数は6～9人」だという結論が出ています。ちなみにＦＦＳ理論とは、受容性や保全性など5つの因子とストレス（ネガティブなものだけでなくポジティブなものも含む）を数値化し、個人の思考や行動の特性を把握する理論です。このように研究や理論ごとにさまざまな結果がありますが、私自身の経験から考えてもやはり5～9人というのが適切であると思います。

しかし、実際にはプレイングマネジャーとして上司自身も実務をこなしながら、それ以上の人数を任されていることは少なくありません。

内閣官房内閣人事局が、管理職の人を対象に部下の人数について2017年に実施したアンケートがあります。それによると部下の人数は6～10人が最も多いものの、11人以上の部下を抱える管理職が過半数を占めていました。

組織にこのような無理が生じている原因の一つは、景気が悪くなったときに企業が採用を控えたことにあります。1990年代のバブル崩壊後や、2010年代のリーマンショック後の時期は多くの企業が採用を控えたため、就職氷河期と呼ばれています。この時期に入社した世代はほかに比べて人数が少なかったため、組織の人員構成にひずみが生じました。次のページに示した図のなかの「ひょうたん型」というタイプで、上層部と若手社員の意思伝達を行う役目の中間層が極端に少ないため仕事に対する価値観のギャップが起こりやすくなってしまったのです。

■社員の年齢構成

ピラミッド型

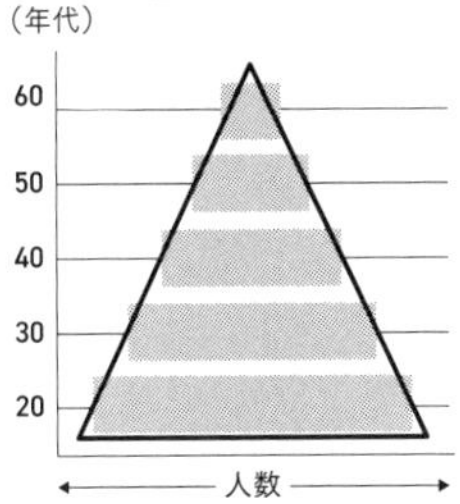

特徴	とにかく若手が多く、ベテランが極端に少ない形状。ベンチャーやスタートアップ企業など、創業して間もない企業に多く見られる。
メリット	若い社員が多いことにより、社内に活気が出る。年齢層の中で若い方が多く、少数精鋭で経営しているため、決断スピードが速いことも特徴の一つ。また、ベンチャーでは若手の内から責任ある仕事を任せられる可能性も高いため、若手社員の成長スピードが速いこともメリットの一つ。
デメリット	マネジメント能力を有している人材が不足しているため、牽制機能がなく、不祥事が発生するリスク、仕事の正確さ、丁寧さに欠けるリスクなどがある。また、ノウハウが蓄積された中間層やベテラン社員に負担が大きくなりすぎてしまう可能性もある。

ひし型

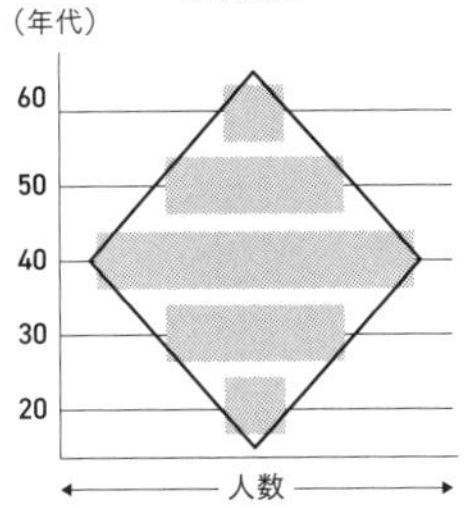

特徴	30～40代がボリュームゾーンとなり、ピラミッド型とは逆に歴史の長い企業に多く見られることが特徴。
メリット	ピラミッド型と違い社内のノウハウが貯まっている人材が豊富であり、すでに戦力となっている社員が多いため、事業の安定的な継続、発展が見込める。
デメリット	若手の昇進／昇格ポストが空いていないことにある。もし成果が上がっていても、ポストが無いせいで昇進などができず、評価されていないと感じてしまえば、モチベーションの低下を招く恐れがある。

ひょうたん型

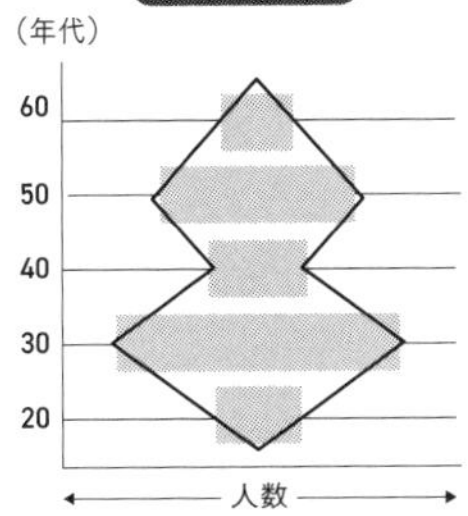

特徴	ひし型と対照的に、30～40代が少なく若手とベテランが多い形状です。バブル崩壊やリーマンショックなどの景気後退期に新卒採用を抑制した影響といわれている。
メリット	ひし型と逆で、若手社員にとっては中間層がいないため大抜擢の可能性があるので、成果を出した若手社員は会社からの評価を受けやすくモチベーションを高く保てることはメリットといえる。
デメリット	・上層部の意思伝達をする中間層がいない ・若手の業務チェックに目が行き届かない ・世代間の価値観のギャップ ・高齢層と若手の待遇の違いから若手の離職につながるなど、企業としては早急な対策が必要となる。

りそなBiz Action「あなたの会社はどのタイプ？社員の年齢構成」を基に作成

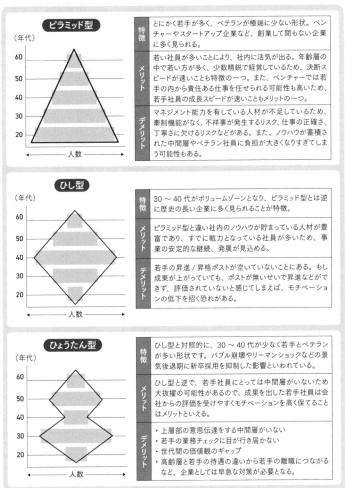

実務も部下指導も多忙をきわめるプレイングマネジャー

管理職のなかには、自分自身も業務をこなしつつマネジメントをするというプレイングマネジャーも多く存在しています。

リクルートワークス研究所が、1次考課対象の部下がいる管理職を対象に行った調査（2019年）では、8割以上の管理職がプレイングマネジャーであると回答しています。また、リクルートマネジメントソリューションズの「ミドル・マネジャーの役割に関する実態調査」（2020年）によると、プレイングマネジャーが、プレーヤー業務をする理由として最も多かったのは「難度の高い業務を遂行する人材がいないため」で、次いで「難度は高くない業務だが、遂行する人材が不足しているため」「イレギュラーな業務が発生した際に、自分が対応する必要があるため」となっています。

管理職がマネジメントに集中するためにも部下を育てることは喫緊の課題です。しかしそのための研修などが会社で用意されているとは限らず、問題ある部下への対応が分からないままの上司は少なくありません。上司は自身も実務にあたりながら、限られた

■ プレイングマネジャータイプが、プレイヤー業務をする理由

あなたがプレイヤー業務を担う場合、その主な理由として、あてはまるものをすべてお選びください。（複数回答／n＝601／単位％）

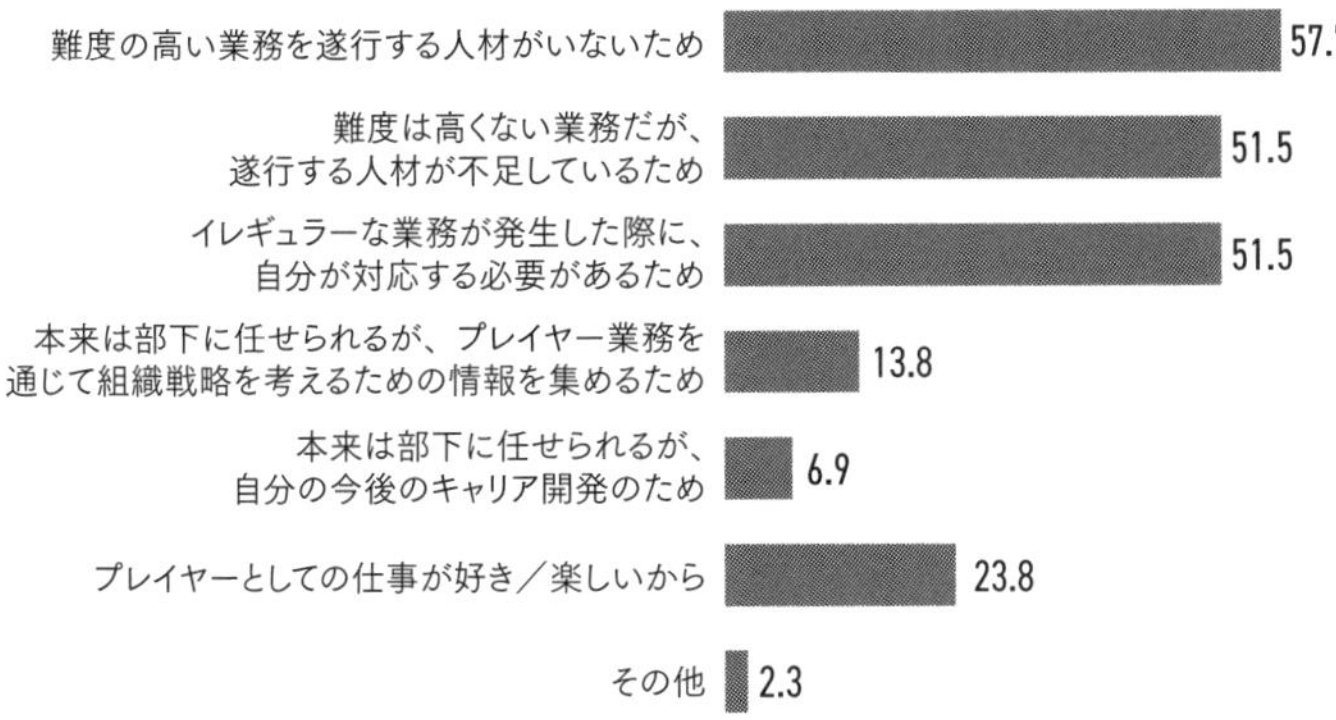

リクルートマネジメントソリューションズ「ミドル・マネジャーの役割に関する実態調査」

時間のなかで手探りで指導の仕方を試行錯誤せざるを得ないという状況におかれています。

部下の「デキない」の原因を知ることが第一歩

マネジメントしていくうえで部下とのコミュニケーションは欠かせません。部署内で社員同士がコミュニケーションをとりやすい環境をつくるために、上司の果たす役割は重要です。

もし、部署内で良好なコミュニケーションがとれていなければ、その部署だ

けに限らず会社にとってさまざまな不利益が生じる恐れが出てきます。具体的にいえば、円滑なコミュニケーションがとれずに社員同士でうまく連携できない状況が続けば、社内でノウハウの共有や意見の交換がうまくできません。そうすると、会社に新たな利益をもたらすような革新的なアイデアを生み出すことは難しくなります。

それどころか、必要な情報の伝達がうまくできずにミスが起きやすくなったり、ミスへの対処も遅れたりして、事態をより悪化させてしまいます。そのため次第に社員一人ひとりにストレスが溜まり、いつしか人間関係もギクシャクするようになり、社員の仕事そのものに対するモチベーションの低下も引き起こしかねません。

そして離職者が増えていくようなことになれば、人手不足に陥ります。そうすると、業務量が変わらないのに業務に慣れた人が減って、指導が必要な新しい社員が入ってくることになるので、元からいた社員は新たな社員の教育に労力を割かれることになります。常に忙しくて精神的に余裕がなければ、職場の雰囲気もピリピリとしたものになってしまうので、新しい社員を採用することができたとしても、新入社員は定着しづらくなります。

人手不足のなかでこれまでと同様の業務量を回そうとすれば、どうしても仕事の質が落ちることは想像に難くありません。また、社内で円滑なコミュニケーションがとれていれば起きなかったようなミスを頻発していては、取引先や顧客などにも迷惑がかかり、信頼を失ってしまうことも考えられます。一度失われた信頼を回復するのは簡単なことではありません。企業に対する悪いイメージがついてしまえば当然、業績の悪化は避けられなくなります。

逆に、社内のコミュニケーションが良好であれば業績は上がります。上司が主導して前向きに仕事ができる明るい職場をつくっていけば、部下たちは会社に来るのが楽しみになり、仕事から離れている時間にも業務のヒントになるような情報を積極的に集めるようになります。すると、新規のアイデアも生まれやすくなります。新たなことに挑戦して失敗したとしても、それは本人や会社にとって成長の糧になるという共通認識があれば、仲間と協力し合って挑戦ができるようになります。それぞれの社員が主体的に仕事に向き合い、失敗を恐れずに積極的に挑戦できるようになれば、自然と会社の業績も上向くはずです。実際に、私が企業研修を行った多くの会社では、コミュニケーションの問題が解消されることによって、飛躍的に業績を伸ばしています。

ただ、自分が指導されたのと同じような方法で後輩を指導するという考えでは、うまくいかないことがほとんどです。これには世代間での価値観の違いや、コミュニケーションスタイルの変化などが主な理由として挙げられます。そのうえ少子高齢化が進行している現在は、かつてよりも少ない人数で業務を回さなければならず、多くの上司は社員の指導や育成に割ける時間を捻出することすら難しい状況に置かれているのです。

しかし、このような状況でも、上司は部下と向き合って指導していかなければなりません。そのためにも、まずは部下の「デキない」の原因を知ることこそが、部下を伸ばすための第一歩になるのです。

第2章

なぜ、部下がいつまでも変わらないのか――。〝デキない〟タイプごとに原因を分析する

「デキない」の原因は子ども時代にさかのぼるものも

何度注意しても同じミスをしたり、スケジュールを守れなかったり、ある程度経験を積んでもいっこうに主体的に動けるようにならなかったり……。上司は一生懸命育てようとしているのに、いつまで経っても変わらない部下は悩みの種になります。

部下の「デキない」に直面して、あれこれ工夫しながらコミュニケーションをとっているにもかかわらず状況が改善せず、どうしてデキないのかという怒りや苛立ちを感じている上司も少なくありません。そのイライラから解放されるには、なぜ部下がデキない状態に陥っているのかという本当の理由を知ることから始める必要があります。

理由を探っていくと、原因が部下にある場合もあれば、上司の接し方や部署の仕組みなどにある場合もあります。また、部下本人にある場合でも、子ども時代の親との関わり方にまでさかのぼるケースもあります。そのため、上司の力で解決できるものもあれば、専門家の助けを必要とするほど原因が根深いものもあるのです。

いずれにせよ、「デキない」の原因を知れば、どのようにアプローチすればよいのかが分かって、上司の力では解決できない部分に対して無駄な試行錯誤をしてしまうこともなくなります。その結果、時間と心に余裕が生まれることで、部下との向き合い方や自分の心のあり方も変わるはずです。

7つの「デキない」の理由を解明

職場でよく聞かれる問題がある部下のタイプは、次の7つに分けることができます。

① 集中できない
② スケジュールを守れない
③ 指示やアドバイスを聞かない

④指示待ちで主体的に動かない
⑤ほかの社員らと協力しない
⑥新しいことに挑戦できない
⑦失敗しても反省しない

デキない① 集中できない

部下が同じような単純なミスを連発するのを見て、集中して仕事に取り組めていないないのではないかと考える上司は少なくありません。一般的に、部下が仕事中に上の空で心ここにあらずという様子であれば、上司は部下が集中できていないと感じるものです。

部下が仕事に集中できず単純なミスをしてしまう原因としては、次の3つが考えられます。

①体調やプライベートに問題を抱えている
②任されている仕事に対して能力やスキルが足りない
③仕事に楽しさや意義を感じられない

このうち、①については部下本人の問題ですから、本人以外にはどうすることもできません。②についても基本的に部下の問題ですが、上司が介入することで解決できる余地はあります。③については仕事に関して上司が導くことで部下が劇的に変化する可能性があります。

①体調やプライベートに問題を抱えている

体調不良のために仕事に集中できないということは、多くの人が経験したことがあるはずです。例えば、頭痛がするとか、花粉症で目のかゆみや鼻水に悩まされているとか、睡眠不足で頭がぼんやりするとかいうことは、程度の差こそあれ、誰にでも起こり得るものです。

また、子育てに悩んでいるとか、家庭内がうまくいっていないといったプライベートに問題を抱えている場合も、仕事に手がつかなくなることがあります。

上司としては話を聞きアドバイスすることはできたとしても、解決できるのはあくまで本人です。

②任されている仕事に対して能力やスキルが足りない

ミスを連発する部下に対して仕事に集中するように注意したものの改善しないという場合には、そもそもその業務をするのに必要な能力が足りていないことが考えられます。この場合は本人のもともっている能力や、スキルの有無の問題なので、上司からのコーチング的な関わりが必要となります。

③仕事に楽しさや意義を感じられない

部下にプライベート上の問題もなく、能力・スキルにも問題がない場合、部下が仕事に楽しさや意義を感じられないために集中できていない可能性が考えられます。

一般的には、目指していた役職やポジションに就けた、業務上の目標を達成できたなどの成功体験によって、仕事が楽しいと感じられるようになります。楽しいと感じられる仕事であれば、人は自然と集中できるものです。

しかし、当然ながらすべての人が常に仕事で成功を収めているわけではなく、したがって常に仕事に楽しさを感じているとは限りません。その場合は自分の仕事に意義を見いだすことができれば集中して仕事に取り組めるようになるのですが、それでも集中できていないのであれば、上司が仕事の意義を十分に伝えることができていないことが原因として考えられます。

デキない② スケジュールを守れない

部下がスケジュールを守れないという問題には、大きく二つのケースがあります。一つはスケジュールを守る必要性は理解しているが「守れない」というケースです。もう一つは、そもそも守る気がないために「守らない」というケースです。

スケジュールを「守れない」というケースでは、さらに能力やスキルが足りないという場合と、部下が自分自身に自信がもてないという場合に分けられます。

〈守れないケース①〉スケジュールどおりに仕事を進めるのに必要な能力やスキルが足りない

スケジュールどおりに仕事を進めるためには一定の能力やスキルが必要です。進めることができない部下は、ほかの社員と同等のスピードで仕事をするだけの必要な能力やスキルがないか、スケジュールを管理する能力が欠けていることが考えられます。これは部下の問題であるとともに、部下の能力やスキルのレベル、スケジュールを管理する能力があるかどうかを見極めることができずに、それを超える仕事を任せてしまった上司の問題でもあります。

〈守れないケース②〉自分に自信がもてない

能力やスキルは十分にあるのにスケジュールを守れない場合は、自分の成果物に自信がもてないということが考えられます。自分に自信がもてない人によくあるのは、第三者から見れば十分なクオリティーの成果物ができているのに、本人はその内容に自信がもてず、こんなものを提出したら上司にがっかりされるのではないかと恐れて提出できずに期日を過ぎてしまうというケースです。

このケースの原因として多く考えられるのが、自己肯定感の低さです。自己肯定感が低くなる原因は、幼少期からの親との関わり方にまでさかのぼります。

例えば子どもの頃に親から十分に愛情を注がれてこなかったために、ありのままの自分を愛されているという感覚が乏しいまま成長してしまった、という場合です。自己肯定感が低いので、周囲と比較して自分のダメなところを探し自己嫌悪に陥ることもあります。また、親に否定されて育ってきたという感覚が強ければ、会社でも自分自身が否定されてしまうのではないか、とおびえてしまいます。そのため、スケジュールどおりに業務をこなせる能力がありながら締め切りを破ってしまうという事態になることが考えられるのです。

〈守れないケース③〉スケジュールを守らなくてもなんとかなると信じている

勝手な思い込みでスケジュールを「守らない」ケースは、部下自身が心の奥底で、スケジュールを守らなくてもなんとかなると信じていることが考えられます。その場合、本人も自分がそう信じているのに気づいていないことがほとんどです。

スケジュールを守らなかった部下に対してその理由を尋ねると、ほかの業務と重なって忙しかったなどと、もっともらしい理由を答えることがよくあります。しかし、本人も決して嘘をつこうと思っているわけではないのですが、それは本当の理由ではありません。原因は心の奥底で信じていること（＝ビリーフ）にあります。このタイプには、注意をしたり仕事の指示の仕方を変えたりしても、ビリーフ自体が変わらない限りほとんどの場合において変化を期待することは難しいといえます。

なかには、自分がどのプロセスを担当しているのか、自分の作業が完了したあとはどの部署が動くことになるのかなど、仕事の全体像が見えていなくて、スケジュールが遅れてしまったときに誰にどんな迷惑がかかるのかといったことを理解できていない人もいます。また、これまでに周囲がフォローしてくれていたためになんとかなってきた人は、少しぐらいスケジュールから遅れても誰かが助けてくれるから大丈夫だと思い込んでいることもあります。これらのケースでは、仕事の全体像を示すことを怠った上司や、本人が成長するようなフォローの仕方をしてこなかった周囲の問題ということもできます。

デキない③ 指示やアドバイスを聞かない

上司の指示やアドバイスについて、単に部下本人の理解力が不足していて理解できなかったり、実行に移せなかったりしている可能性も考えられますが、注意すべきは上司からの指示やアドバイスを素直に聞き入れないというケースです。

部下が上司の指示やアドバイスを聞き入れない原因の一つとしては、部下にタテの人間関係の感覚がないことが考えられます。上司と部下という立場の違いを理解できておらず、自分のほうが正しいと思っている可能性もあります。

このタイプは、子どもの頃から厳しさをもって社会の規範を教えられずに育ってきたことが考えられます。家庭のなかで叱られたり厳しくされたりする経験がないと、子どもは自分こそが家族の中心的な存在なのだと誤認してしまう恐れがあるのです。

そのためこのタイプが育った家庭では、親が子どもの言いなりになってしまっていることが少なくありません。子どもの意見を尊重するとか、子どもが好きなことをできるように全力でサポートするなどといえば聞こえは良いのですが、単に子どものわがままに振り回されているに過ぎません。そのことに親も気づいていないことも多くあります。ダメなものはダメと教えられてこなかったり、約束を守らなくても許されてきたりすると、子どもは社会や人間関係のルールを守るという訓練ができないまま大人になってしまいます。

このタイプかどうかを確認するために、私は研修のときなどに「小学生の頃、あなたはお父さんやお母さんに合わせていたという感じがしますか？　それともお父さんやお母さんがあなたに合わせてくれていたと感じますか？」と聞いてみます。この質問によって、おおよその判別ができるからです。

「合わせてくれていました」という回答が返ってきたら「ご両親があなたに合わせてく

れていたのはどんなことですか？」と聞いてみます。このとき、それは本人の選択を尊重してくれたものだと感じられる内容であれば問題ありませんが、単に子どものわがままに両親が折れたのだと感じられる内容であれば、親から厳しい教育を受けてこなかった可能性があります。

社会に出る前に、組織ではどう振る舞うべきかを家庭内で学べなかったとしても、体育会系の部活などに所属することで身につけられるのではないかという意見もあります。確かに、部活動を通して年長者や目上の人との人間関係を築く経験ができなくはないのですが、今はこうした関係性が避けられがちな風潮にあり、かつてに比べて上下関係が緩くなっているサークルや同好会のような団体が増えています。

また、ＮＨＫの２０２２年の調査によると、野球部やサッカー部といった運動部に入部している生徒の割合が全国37の道県で過去最低となったことが分かりました。運動部への入部率の全国平均は59・６％で、低いところでは２人に１人が運動部ではないという割合です（ＮＨＫニュース「中学生の運動部入部率 37道県で過去最低に」）。

こうした最近の傾向を鑑みると、必ずしもすべての人が学生時代にタテの人間関係の

■ 中学生　運動部への入部率

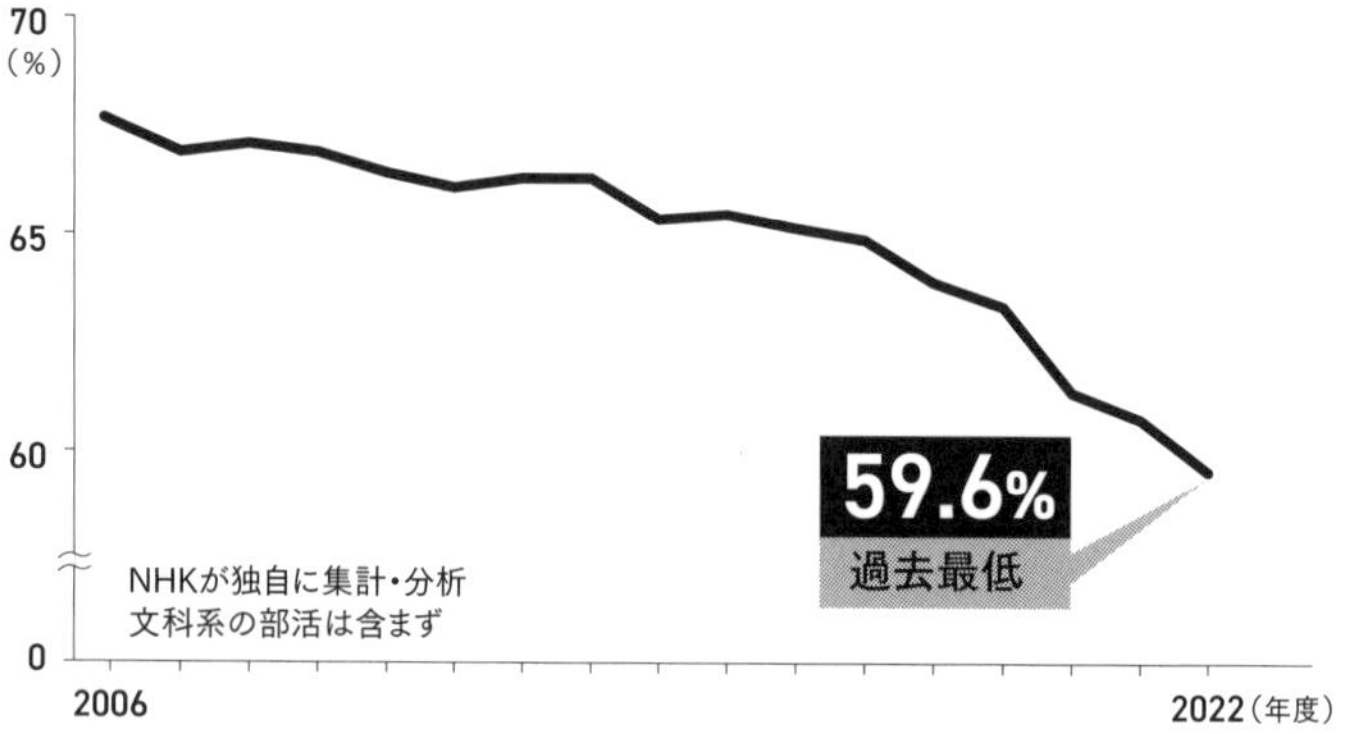

NHKニュース「中学生の運動部人部率 37道県で過去最低に」を基に作成

なかでどのように振る舞うべきかを身につけられているとはいえません。

周囲が自分に合わせてくれるのが当たり前という環境で育った人は、上司と部下という上下関係に接したときにうまく対処することができません。このタイプによく見られる特徴としては次のようなものがあります。

・自己中心的である
・自己制御が苦手
・すぐに不平不満を口にする
・言い訳が多い
・その場しのぎの対応をする

・義務を果たすよりも先に、権利の主張をする
・承認欲求が強い
・攻撃的である
・批判的である
・他責傾向が強い
・被害者意識が強い

多かれ少なかれこのような特徴があるので、良かれと思って指示やアドバイスをしてくる上司に対して自分を否定して攻撃してくる敵と見なすこともあります。そうなってしまうと厄介で、上司が指示をしたりアドバイスをしたりするのをパワハラだと言ってくることさえあります。

このような状況がこじれると、事態を収拾するのは容易ではありません。ただ、これは決して誰かが悪いというわけではないのです。その部下の親は子育てをするなかで良かれと思って子どもの意見を尊重して育ててきたはずです。部下本人についてはタテの

人間関係のなかでの経験が不足しているに過ぎません。上司は部署のパフォーマンスを上げるという自分の職務を果たすために、あるいは部下のことを真剣に考えて次につながるアドバイスをしようとしているだけです。それが会社という組織の上司と部下という関係性のなかでは、関係性の悪化による生産性の低下を招く状況になってしまっているに過ぎません。

上司の指示やアドバイスを聞かないケースのなかには、成長する過程で親からの愛情が不足していたというタイプの人もいます。子どもの頃に自分のありのままを肯定してもらえなかったために自分に自信がもてず、その裏返しで強がってしまうのです。例えば、自分の存在価値を証明しようとして上司のアドバイスを否定して自分が正しいと主張することもあります。

デキない④ 指示待ちで主体的に動かない

能力・スキルや経験などが十分であるのに、指示待ちで主体的に動けないという部下は、指示・命令型の親のもとで育っていることが原因として考えられます。これは部下の問題です。

小さい頃から「あれをやりなさい」「これはしてはいけない」などと親に事細かく指示されていると、子どもは自分の頭で考えることをやめてしまいます。また、「お母さんの言うとおりにしていればいいのよ」とか「お父さんの言うとおりにしないと失敗するよ」などと言われて、子ども自身が考えたことを親に否定されたり、批判されたりしていると自分で考えることができなくなります。しかも、親に指示されたとおりに動いていれば叱られることもないので、親にやるように言われたこと以上のことをやろうとしなくなります。

そうやって親の指示や命令に従ってばかりで育つと、自分で考えて判断することができません。そのため、社会に出てからも誰かの指示がないと動けないのです。このタイプに対して、上司が主体的に動くようになってほしいと伝えたところで、いきなり主体的に行動できるようにはなりません。そもそも自分の頭で考えて動くという訓練が圧倒的に不足しているので、どうすればよいのかが分からず固まってしまうだけです。

デキない⑤ ほかの社員らと協力しない

ほかの社員と協力しないというケースは、特定の部下だけが協力できないという場合と、部署全体に協力し合おうという空気がないという場合の2つに分けられます。

①特定の部下だけが協力できない

特定の部下がほかの社員と協力し合って仕事ができないという場合、原因としては次の3つが考えられます。

1つ目は部下が会社内でどのようにコミュニケーションをとっていけばよいかを知らないために、ほかの社員に仕事を頼めないということです。例えば、年齢が離れている人とのコミュニケーションに慣れていなかったり、どのように頼めばスムーズに引き受けてもらえるのかということを理解できていなかったりするとスムーズに仕事を頼めないことがあります。これは部下の問題でもあり、部下にコミュニケーションの仕方を教えていない上司の問題でもあります。

2つ目は、部下が「他人に頼ってはいけない」と心の奥底で信じていることが考えられます。何らかの原体験によって、人に頼るのは能力が低い人のすることだとか、弱い人のすることだなどという思い込みがあると、自分でなんとかしなければと考えて、人に頼れなくなってしまいます。これは部下自身の問題です。

3つ目は自分のことを重要だと考える自己重要感が低いために、それを覆そうと必要以上に勝ち負けにこだわっている可能性が考えられます。協力しようというマインドよりも、勝負に勝とうとする競争マインドに引っ張られてしまっているのです。そのため、自らライバルをつくり出し、その相手よりも優位に立つことで、自分は本当は重要な人間だとか、本当は自分には価値があると証明しようとします。

このタイプは負けたくないという気持ちが強過ぎて、ほかの仲間が褒められているのを見るとイライラしてしまうということもあります。これは、子どもの頃に親がきょうだいばかりをかわいがって悔しい思いをしたというようなことと同じで、対象がきょうだいから同僚に変わっただけのことです。

② 職場全体が社員同士で協力し合えない

特定の部下だけでなく、職場が全体的に社員同士で協力し合えずに個人プレーになりがちな場合は社員同士が認め合う風土ができていない可能性が考えられます。社員同士が互いに認め合う空気がつくれていないのであれば上司の問題だといえます。

一方で、会社の仕組みが問題になっている場合もあります。例えば社内全体や部署内で個人の成績を競い合わせる仕組みになっているような場合です。それぞれの社員が自分の成績を上げることを第一に考えるため、当然協力し合う関係が生まれにくくなります。

デキない⑥ 新しいことに挑戦できない

新しいことに挑戦できない部下の場合も、原因は子どもの頃の親との関わり方にあると考えられます。子どもの頃に親から受け入れられ愛されてきたという感覚をもてずに育ってしまった人は自分に自信をもてません。新しいことに挑戦しても残念な結果に終わるような悪いイメージしか浮かばず、挑戦するのをためらう傾向があります。

新しいことに挑戦できる人とできない人では、新しいことに向かうときに思い描くイメージが異なります。もちろん、人にはそれぞれ得意な分野と苦手な分野がありますが、自分がやりたいと思って選んだ仕事の分野で挑戦していける人は、新しいことに直面したとき、頭の中に自分がうまくやれるイメージが浮かびます。自分ならできると思っているので新しいことにワクワクすることができ、喜んで挑戦しようとするのです。

一方、新しいことに一歩踏み出すことができない人は挑戦を前にすると、自分が失敗して周囲に迷惑をかけたり、批判されたりするイメージが浮かんでしまいます。このタイプは自己肯定感や自己効力感が低い傾向にあります。

自己肯定感というのは「I'm OK」とありのままの自分を受け入れることで、自己効力感というのは「I Can」と自分ならできる、と思うことです。自己肯定感が低いと、人は新しいことへのチャレンジに消極的になります。そうすると、そもそもチャレンジする回数自体が少なくなるので、成功体験を得られる機会も当然少なくなります。成功体験が少なければ、私はできるという自己効力感をもつことができません。

また、子どもの頃から過程よりも結果で評価されてきた人も挑戦することに臆病です。子どもの頃に勉強をテストの点数や順位だけで評価されてきたり、スポーツについて勝ち負けのみで評価されてきたりした人は、失敗に対してネガティブな感覚をもっています。そのため、失敗する確率が上がるような新しいことに挑戦するのが苦手なのです。

挑戦できないというのは、子どもの頃の親との関わりに加えて、社風も関係してくることがあります。組織が結果ばかりを評価している場合、社員は新しいことに挑戦しなくなる傾向があります。また、組織として失敗に対してマイナス評価をする「減点方式」の評価制度や社風の場合もこうした状況を生み出します。多くの社員の間で新しいことに挑戦しない風潮がある場合は、こちらのケースが疑われます。

家庭であれ会社であれ、結果を重視して教育してしまうと、人はネガティブな結果が出ることを恐れて挑戦しなくなるというのは、研究でも明らかになっているところです。

家庭でどのような教育を受けてきたかは、子どもの頃、親に結果を褒められてきたか、それともそこに至るプロセスや努力を褒められてきたかということを聞いてみると分かります。結果はどうであれ頑張ったことを褒めてくれた親のもとで育った人は、失敗を恐れず新しいことに挑戦できる傾向があります。

また、会社でどんな目標を達成してきたか、目標を達成した回数はどれくらいかということを聞いてみると、どの程度の自己効力感をもっているかということがある程度分かります。自己効力感の高い人は、私はできるという感覚があるので、積極的に挑戦することができ、その分目標を達成できる回数も増えます。それによって、さらに自己効力感は確かなものになっていきます。逆に、自己肯定感や自己効力感が低い人は、自分にはできないと思いながら挑戦していかなければならなくなるので、精神的にも非常につらくなってしまいます。

また、幼い頃のしつけが不足していたために厳しさに耐えたり困難に立ち向かったりという経験をしてこなければ、一見自信があるように見えても、それはニセモノの自己肯定感に過ぎません。自分に自信がなくて挑戦せず成功体験が少なければ、自己効力感も低くなります。

このように、新しいことに挑戦できない人は部下自身の成育歴に問題があり、自己肯定感が低かったり、自己効力感が低かったりする可能性が高いといえます。

デキない⑦ 失敗しても反省しない

失敗しても部下が反省しないというのは、上司の問題であることが多く、職場に失敗を分析する仕組みを取り入れていないことが最たる原因です。ただ、会社が失敗を分析する仕組みを取り入れていたとしても、反省しない人がいます。そういう人は他責思考の傾向があります。

他責思考になってしまう原因は、子ども時代にどのように育てられたかにさかのぼります。失敗しても反省しない人は、親に自分の意見を基本的に肯定されて育っている傾向があります。幼い頃から自分の言動に問題があったとしても、厳しく指摘をしてもらえなかったり、やさしく注意されるだけだったりする場合、どんな場面においても自分は正しいと考えるクセがついてしまい反省しません。本来は叱られるべき状況にあっても、自分の誤りを指摘されずに育ったので、反省するという経験が少ないまま大人になってしまうからです。そうすると、何かトラブルがあったときに自分のせいだと考えることがなく、人のせいにばかりするようになってしまいます。

例えば、このタイプの子どもがサッカーの試合で、ゴール前でパスを受けてシュートを蹴ったものの失敗してしまったとします。すると、自分のことは棚に上げて、相手のキーパーが上手だったから自分のシュートが決まらなかったとか、グラウンドのコンディションが悪かったから自分のシュートが決まらなかったとかいうように、周囲の環境に原因を探して責め始めます。あるいは、仲間のパスが悪かったなどとチームメイトにまで文句を言い出しかねません。

このようなタイプの子がそのまま大人になれば、自分が原因でミスをしたとしても、自分は悪くないと考え、失敗したのはあの人のせいだと他人を責めます。あるいは、そもそもシステムが使いづらいせいでミスになったのだと、ほかに原因を求めて自分を省みることをしません。

そのことを気づかせようとすると、反発する態度をとるのもこのタイプに見られる特徴です。ミスの原因を指摘される際、その相手が圧倒的な実績を上げている先輩や、憧れの上司といった人からの言葉であれば、素直に受け入れることもあります。しかし、上司と部下というタテの人間関係ができていない状態の場合、表面上は聞いているように見えても、心の中ではどう思っているか分かりません。場合によっては激しく反発してくることもあります。

このタイプは普段、自信満々で自己肯定感も高いように見えます。しかし、常に肯定され続けていて厳しさに耐えて頑張った経験をしないままに大人になっているので、壁にぶつかったときにもろい傾向があります。トラブルがあるたびに他責思考で周囲を敵に回すので、組織における上司と部下という関係性のなかでは、最も対処が難しいタイプです。

ビリーフがさまざまな「デキない」の原因になり得る

なかなか変わらない部下の本当の原因を探っていくと、個々がもつビリーフによって問題のある行動が繰り返されていることがあります。

ビリーフとは無意識、つまり深層心理の領域にあるもので、意味の近い言葉としては「信じていること」や「思い込み」が挙げられます。

考える力に影響するビリーフについて考えてみると、いうまでもなく「考える力」は仕事の成果に大きな影響を与えます。ここでいう「考える力」とは、単に「勉強ができる」という意味ではなく、今何をやるべきなのか、誰に協力してもらうべきなのか……など、複数ある選択肢のなかから、主体的に考え判断する能力のことを指します。この能力が高い人ほど、いわゆる頭の回転が速いと評価されることが多く、成果を出しているといえます。

この「考える力」に関連するビリーフに「自分より他人のほうが正しい」や「自分が考えたいように考えてはいけない」といったものがあります。このような「考えることに対してネガティブなビリーフ」をもっている人に、いくら考える訓練をしなさいと促したところで、本人は決して動くことはありません。このようなビリーフをもってしまった背景には、やはり子どもの頃に親がどんな方針で子育てをしていたか、または親自身のビリーフが関係しており、それらに大きく影響を受けていることが理由です。

例えば、子どもに対して指示命令ばかりする親の場合、子どもが自ら「ああしたい、こうしたい」と考えを伝えても頭ごなしに否定してしまいがちです。それが繰り返されると子どもは「自分で考えてもどうせ間違う」「お母さんの言うとおりにしていたほうが安全だ」と潜在意識の領域で信じてしまいます。結果的にその思い込みによって、自分で考えるという行為に対してネガティブな感情をもつようになってしまうのです。

そのように親に言われたとおりに選択・行動し、自分で考える訓練をしないまま生きてきた人にとって、社会に出たあとに親に代わる存在が上司です。つまり、このビリーフがある限り上司からの指示命令がないと動けない部下のままなのです。

そのほかにも例えば、「ミスをしたらカバーし合うものだ」ということについて、部下がそれは本当だろうかと感じているうちは、まだ部下にとってビリーフにはなっていません。そのため、「とはいっても自己責任でしょ」などの言葉が頭に浮かび、自分から助けを求めたり、反対に手を差し伸べたりすることに、無意識のブレーキがかかってしまいます。しかし、自分がミスをしたときに助けてもらったり、仲間のミスをカバーしたりする体験を繰り返すことで、そのとおりだと感じられるようになってきて、ほかの人にも教えてあげようと思えるレベルになれば、「ミスをしたらカバーし合うものだ」という考えが、その人にとってビリーフになります。

このようにビリーフには、人の行動を左右する大きな力があるのです。ビリーフは年齢に関係なく形成されるのですが、人生を左右するほどのビリーフは幼少期、特に7歳半までにつくられるという説が最も有力です。人生に最も影響を与えるビリーフは6歳までに出来上がるとされ、15歳までにできたビリーフが価値観の基礎になるといわれています。最近では18歳までという説もありますが、私は経験上、価値観の基礎となるビリーフが形成されるのは15歳までと考えています。

これらの年齢までに形成されて固まってしまったビリーフを自力で変えることは非常に難しく、専門家の力を借りることが必要になります。ただし、大人になってから形成されたビリーフであれば、自分自身の信じていることに対して「これは本当に真実か?」と問い、さまざまな角度から深く検証することでビリーフの呪縛から解放されることもあります。

成長期に母性愛と父性愛をバランスよく注がれることが重要

私は、社会で活躍できる大人になるには子どもから大人に成長していくなかで母性愛と父性愛をバランスよく注がれている必要があると考えています。このバランスが崩れていることが部下の「デキない」原因になることも少なくありません。

母性愛や父性愛という言葉を使うと誤解されることがあるのですが、母性愛は母親にしかないわけではありませんし、父性愛が父親のなかにしかないわけでもありません。父親にも母性愛がありますし、母親にも父性愛があります。

ここで母性愛と呼んでいるのはそのままの姿を大切に思っているという無償の愛のことです。母性愛が不足すると心が不安定になります。不足し過ぎれば、心の病気にもつながりかねません。

一方、厳しさを伴う父性愛は社会に出たときに困らないよう、ルールを身につけさせるために叱ったり、困難を乗り越えられるように叱咤したりするような愛です。父性愛が足りないと社会性の獲得ができません。

人の成長過程では、母性愛も父性愛もどちらも必要です。いずれも過剰に注ぐことより不足することのほうが問題になります。

母性愛の不足により、何事にも自信のもてない人は、過度の義務思考で心が不自由であったり、空気や人の顔色に敏感だったりします。自責傾向が強く、他人本位のため自己主張が苦手です。真面目で常識的でもあり、プラスの側面もありますが、度を越えると本人はとてもつらい状態になります。

自責傾向があることは自分の成長につながりますが、必要以上に自責傾向が強いと自分を心理的に追い詰めてしまいます。自分がどうしたいという欲求があっても他人本位で周りの顔色を見るので、どうしたいかを主張することができません。周りの人がどう思うかが重要だからです。本当は親にこう接してほしかったという思いがあり、心の深いところに悲しみや怒りを抱いていることもあります。上司の発言や顧客からのクレームなどがトリガーになって、心の病気になりやすい傾向があります。

一方、父性愛が不足したまま育つと、叱られるべき場面で叱られなかったので、自信があるようには見えるけれどメンタルの弱い大人になります。自分の意見を主張したり、リーダーとして引っ張っていったりすることは得意ですが、困難にぶつかったときに心が折れやすく、トラブルが起きると他責思考をしがちな特徴があります。うまくいかなかったときに上司のせいにしたり会社のせいにしたり、顧客のせいにすることもあります。トラブルがあっても自分が悪いと思わず反省しないので、なかなか成長することができません。

また、親との間にタテの関係の感覚が育まれなかったので、大人になって会社で働くようになってからも、上下関係を踏まえた振る舞いが苦手です。

親が父性愛をもって子どもに接していれば、大人になって人から注意されたときにも、この人は自分のために言ってくれているのだとか、この言葉の裏側には愛情があるのだとかいうようにとらえることができます。本当の攻撃と、愛情からの忠告の区別がつけられるのです。

最近は、幼少期に褒められるばかりで叱られることがほぼなく、父性愛によるしつけを十分に受けないまま社会人となる人がどんどん増えてきており、マネジメント層を悩ませています。父性愛を受けずに育った人たちは会社で厄介者扱いをされ、大人になってから初めて苦しい状況に直面することになります。しかし、そうした人はこれまでに困難な状況を乗り越える経験をしてきていないのでメンタルが弱く、新型うつ病や適応障害などの診断を受ける可能性も高くなります。

母性愛と父性愛は、どちらか一方に偏ることなくバランスよく注ぐことが欠かせません。そしてこの2つの愛情とビリーフについてマネジメント側の人間が知っておくことは、部下の「デキない」の根本的な原因を把握し、最適なアプローチをしていくうえでとても重要なことなのです。

例えばよく熱が出てしまう人に対してなら、都度解熱剤を渡してその場をしのぐのではなく、そもそもなぜよく熱が出るのかという原因を調べることが大切であることはいうまでもありません。体のどこかの炎症、免疫力の低下、食生活の乱れ、ストレスによるものなど、原因にはいくつものパターンが考えられます。これらのなかから真の原因を見つけ出さなければ、状況はいっこうに改善されず、逆にむりやり間違ったアプローチをしたために悪化してしまうことさえあり得ます。

それと同じで、デキない本当の理由は「能力が低いから」とか「自信がないから」といった表層的なものではありません。なぜ能力が足りないのか、なぜ自信がないのかを深く掘り下げていかなければ、状況はいっこうに改善されることがないまま、「ダメな部下」というレッテルを貼ってしまうことで、適切な対策による改善の道が断たれることになります。

成果を出す意欲が低い、責任のある立場になりたくない、挑戦して失敗をすることが怖い……、これらのようにデキない原因はタイプごとに分かれており、部下はそれぞれ何かしらの思い込みを抱えています。そのことを知らずに、マネジメント側が必死に研修や面談などを実施しても効果は極めて薄く、時間とコストの無駄遣いをしているといわざるを得ません。部下の「デキない」の原因ごとに的確なアプローチをとっていくことが必要なのです。

第3章

集中できない、守らない、反省しない……
7つの〝デキない〟を変えて
〝デキる〟部下に育てる

なかなか変わらない部下のタイプとそれぞれの対処法

7つのタイプに分類される部下の「デキない」は、常に上司の悩みの種です。しかし、それぞれのタイプに合わせて対処することは可能です。

デキない① 集中できない

【モデルケース】

新入社員のAさんは、入社して半年が過ぎました。上司であるあなたの目から見ると、職場にもだいぶなじんできたようで、周囲の先輩との関係も良好のように見えます。特に直接指導にあたっている社員とは年齢も近くて話が合うようで、休憩時間にはプライベートの話なども楽しそうにしています。

担当している業務にも慣れてきており、そろそろスピードやクオリティーがもう少し上がってきてもよいはずなのですが、あなたが思うレベルには達していません。あなたの目から見て気になるのは、仕事ぶりにムラがあり、同じようなミスを繰り返していることです。ちょっとした用事をつくって頻繁に席を立ったり、デスクでぼんやりしたりしている姿も目につきます。

指導係の社員に確認すると、Aさんは仕事の内容についてはよく理解しており、業務をこなすのに必要な能力は十分に備えているはずだということでした。

そうしてAさんのことをあれこれ話しているうちに、指導係の社員がつぶやきました。

「Aさんは、なんていうか、集中力がないんですよねぇ……」

注意力が散漫で集中力が継続できない部下

Aさんは周囲から「あの人は集中力がない」と言われる典型的なケースです。能力に問題がないのに、仕事のスピードやクオリティーが期待しているほど上がらず、ちゃんと集中して作業をしていれば防げたのではないかと思えるような単純なミスを繰り返します。

集中力がないといわれている社員には、体調やプライベートなどについて仕事が手につかなくなるほど気がかりなことがないかどうかを確認します。人間なので、睡眠不足で眠いとか、昼食を食べ過ぎてしまって午後の時間帯にぼんやりするというように、生理的にどうしても集中できないタイミングはあります。しかし、これらは自己管理次第で解決できる問題です。

睡眠不足であれば生活のリズムを整えるなどの工夫をすれば解決しますし、満腹で眠いというのであれば食べる量を調整すればよいわけです。プライベートの問題であれば、それが解決するまでは上の空になることもあるかもしれませんが、問題自体が解決すればまた仕事に集中できるようになるはずです。

体調やプライベートなどに問題がないようなら、業務を正確に行うために適切なスケジュールになっているかを確かめます。スピードが重視されているために、本人は集中して仕事をしているつもりでいても、焦ってミスをしてしまうということが考えられます。これは、その業務を正確に遂行するために適正なスピードを見直し、正確さを優先するように徹底することで解決できます。部下本人の判断で変えられるものでなければ、指導係の先輩社員や上司などが一緒に考えて調整する必要があります。

これらの問題がなければ、部下が仕事に楽しさや価値を感じられていない可能性が考えられます。部下が自分自身で仕事に楽しさや価値を見いだせないのなら、上司が示す必要があります。

仕事の価値を感じさせる

自分の仕事が、どれだけ世の中の役に立っているのか――。「仕事の価値」を理解させることは、部下を指導し、ともに働いていくなかでとても重要なことです。

例えば医師や看護師、弁護士、警察官などは社会貢献度が高い仕事を思い浮かべた際に、真っ先に挙げられる代表例だと思います。自分の存在や働きが直接的、または間接的でも誰かを助けているという実感があれば、日々の業務内容に誇りをもち集中して取り組むものです。

逆に、その実感が薄いというケースでは、自分の仕事に価値を見いだしにくくなります。極端にいうと部品製造の現場で加工、仕上げ、梱包などのうち一つの工程を担当している場合、自分の作業が最終的にどのように世の中に価値をもたらしているのかを実感するのは、比較的難しいと思います。

ここで重要なのが、感謝や称賛をされることです。取引業者からの声、エンドユーザーからの声……。こうした社外からの評価は、価値の有無を分かりやすく教えてくれます。また社内でも、部署間での互いの成果を評価し認め合う仕組みをつくったり、経営陣が全社会議などの場でそれぞれの部署の業務の重要性を語ったりすることで、現場に広く浸透させることが可能です。

仕事の価値と楽しさの2つを並べたとき、企業の軸になるのはどちらかと問われれば間違いなく価値こそが、会社の存在意義につながります。

しかし、価値のみで全員を共感させ引っ張っていくことはハードルが高いのも事実です。実際、目の前の仕事に対してそこまで意識が高くない人も一定数おり、そうした人たちには楽しさで共感してもらう必要があります。そして、この2つをバランスよく社員に発信していくことが、組織の底上げにつながっていくのです。

仕事の楽しさを感じさせる6つのポイント

部下をもつ立場になった人のなかには、仕事は顧客に価値を提供するために、歯を食いしばって頑張るもので、自分が楽しむためにやるものではないという考えをもっている人もいます。そう考える人は、自分をストイックに追い込んで成果を上げて出世してきた人が多いのも事実です。

しかし、こうした考え方は今の時代には合わなくなってきていると私は考えています。このタイプの上司が、自分の考え方やスタイルを部下に求めてしまうと、求められた側は苦しくなり、離職率が上がるなどの問題が発生することは容易に想像できます。実際、自社の仕事の価値を伝える社長やマネジメント層は多いのですが、仕事を楽しむことにフォーカスして部下に接する人は少ないように思います。仕事が社会にもたらす

■ 仕事の楽しさを感じさせる6つのポイント

① 成長を実感させる
② 称賛する
③ 同僚から尊敬される
④ 喜ばれる・感謝される
⑤ 勝負の要素を取り入れる
⑥ 仲間と目標を共有する

価値だけでなく、仕事や業務そのものを楽しいと感じさせるほうが、やる気を引き出し、集中して取り組めるようになることは脳科学的に間違いありません。

部下に仕事や職場を楽しいと思わせるポイントは主に次の6つがあります。

①成長を実感させる

人は自分の成長を実感するとうれしいもので、できなかったことができるようになれば仕事が楽しくなります。ただ、毎日の業務に追われていると、周りから見れば成長していることが明らかでも、本人は自身の成長に気づいていないこともあります。そのため、部下がどれだけ成長したのかを上司が示すことが、部下のモチベーションを上げることにつながります。

1年前と比べてできるようになっていることを上司が見つけ

て、部下に「1年前のことを思い出してみて。どうだった?」などと声を掛けていきます。そうすると部下は1年前の自分を振り返って今の自分と比較していくなかで、この1年でできるようになったことが思いのほか多いことに気づきます。そこで上司が「1年前はできなかったのに、今はあんなことも、こんなこともできるようになったんだから、すごいよね!」などと話していくと、部下は自分の成長をより実感することができ、仕事へのモチベーションが上がります。

②称賛する

ほんの小さいことでよいので上司が頻繁に働きぶりを称賛するようにすると、部下は仕事が楽しくなるのはもちろん、その上司のもとで働くことが楽しくなります。日本人は得てして称賛することに慣れていない人が多いように思えてなりません。なかには称賛することを照れくさく感じる人もいるのではないかと思います。この点は上司も意識改革が必要です。

小さなことも称賛していきますが、上司の本音としては、もっと上のレベルを期待しているので、あまり小さなことを称賛する気になれないということもあるかと思います。しかし、ここで重要なのは、このコミュニケーションの目的は何かということです。この場合は部下が楽しい職場だと感じることで仕事へのモチベーションを上げることが目的です。そのためにやるべきことは、今できていることにフォーカスして称賛することなのです。

言葉で称賛するということはもちろん、褒賞制度によって金銭としてボーナスを与えるなど、直接言葉で称賛する以外のアプローチも有効です。

③同僚から尊敬される

同等の立場にある同僚から「すごいね！」と尊敬の念を向けられると自分はできるという自己効力感が高まります。そうやって、自分はこの仕事がほかの人よりも得意だと優越感を抱くようになると自然と努力するようにもなるので、能力がさらに伸びますし、仕事をすることも楽しくなります。また、上司が面談の席などで「周りの人の素晴らしいと思ったことを教えて」と聞いて情報を集めておき、後日「○○さんがこんなことを言っていたよ」と本人に伝えると、部下は良い職場だと感じて会社に来るのが楽しくなります。社員同士が互いに尊敬し合っている職場は雰囲気も良くなります。

④喜ばれる・感謝される

自分の仕事によって誰かが喜んでいることを実感できると、人はうれしくなるものです。例えば「お客様の声」などによってモチベーションが上がることもあります。称賛されることは、評価されることと近いイメージですが、一方で喜ばれることは相手の感情が動くというイメージです。褒められるのと喜ばれるのとでニュアンスは異なりますが、どちらも仕事を楽しいと感じさせるために大切な要素であることは間違いありません。

喜ばれると似ているのが感謝されるということです。顧客や取引先、自社の関連部署などから「助かったよ」「ありがとう」などと感謝されてうれしくなった経験のある人もいるはずです。いずれにせよ、相手が喜んでくれることで自分もうれしくなり、仕事をするのが楽しくなります。

るようになります。

⑤ 勝負の要素を取り入れる

仕事に勝負という不確実性のある要素を取り入れると、仕事をすることにワクワクするようになります。

私が運営する子どもを対象とした非認知能力を向上させるための特殊な塾でも、定期テストの点数をチーム対抗戦で競わせるようにした途端に子どもたちの勉強に対する態度がガラッと変わりました。学校も学年も違う子どもたちが集まる塾で、チームに分けて平均点を競うようにしたところ、今まで一切勉強していなかった子が自分から毎日2時間勉強するようになった例はたくさんあります。

このような効果が見られる大きな要素の一つは仲間と一緒に競うのが楽しいということです。それまで一人で淡々と取り組んでいた勉強が、子どもたちのなかで部活動の試合のような楽しさのあるものになったのです。

ここで注意が必要なのは、勝負とはいっても部署内の個人戦にはしないことです。しかも、その結果を給与に反映させるような仕組みにしてしまうと、職場の雰囲気が悪くなり、社員同士での協力関係が生まれなくなってしまいます。チーム戦にして仲間と協力しながら成果を上げる仕組みにすれば、仲間との一体感も高まります。

⑥仲間と目標を共有する

仲間と同じ目標に向かっていくことで、職場の仲間との間に絆が生まれます。数字の目標もそうですし、仕事の意義などを共有することもそうです。

上司が仕事の意義を伝えるときには部下たちを説得しようとするのではなく、私はこういう仕事ができて本当に幸せだと思っているというメッセージを日々のミーティングなどで伝えていくようにします。例えば、次のように話します。

「私は小さい頃から人と話すのが好きで、人との関わりのなかでいろんなことを教わり、学んできました。仕事をするうえでも多くの人と出会って関わるなかで人を幸せにできるような仕事がしたいと思い、この会社に入って営業の仕事に全力で取り組んできました。

営業の仕事を始めて数年が経った頃、私が初めて契約がとれたお客様からお手紙が届きました。そこに書いてあったのは、『あなたの会社の商品と出会えたことで、私の人生は大きく変わりました』という内容でした。自分のやっている仕事って、こんなに重要なことだったんだ。その人の人生を変えてしまうほどのものだったんだと、そのときに気づくことができました。

みなさんもこういう体験をどんどんしていかれると思うんだけど、私は同じような思いを共有できるこの素晴らしいメンバーと仕事ができることを、本当にありがたいなと思っています。では、今日もよろしくお願いします！」

この話のなかでは、単に上司が自分の体験を語っているだけなので、部下は価値観を押し付けられているという印象を受けることもなければ、指導されているという感じもしないはずです。また、上司の感じたことを語っているに過ぎないので、部下から反論が出てくる余地もありません。上司の武勇伝でもないので、部下の心にすっと入っていきます。

話のなかに「みなさんも、これからこういう体験をどんどんしていくと思う」というフレーズを入れることもポイントの一つです。そうすることで、聞いている部下が会社での自分の未来を明るく思い描けるようになります。

この上司からのメッセージをどう受け取るかは部下次第です。上司が感じてほしいことがそのまま伝わるかは分かりませんが、そこは割り切る必要があります。

すべての仕事について、意義を感じさせることができるわけでもありません。業種によっては仕事の意義を感じにくいものもあります。その場合は、仕事の楽しさや価値に焦点を当てて話すようにします。

部下と接したり業務を進めたりする際に、これら6つのポイントを意識します。そうして部下に仕事に対して楽しさを感じてもらうことが、やる気を引き出し、業績アップの近道になり得るのです。

■エリザベス・ハーロックの実験における褒める、叱る、放任の成績比較

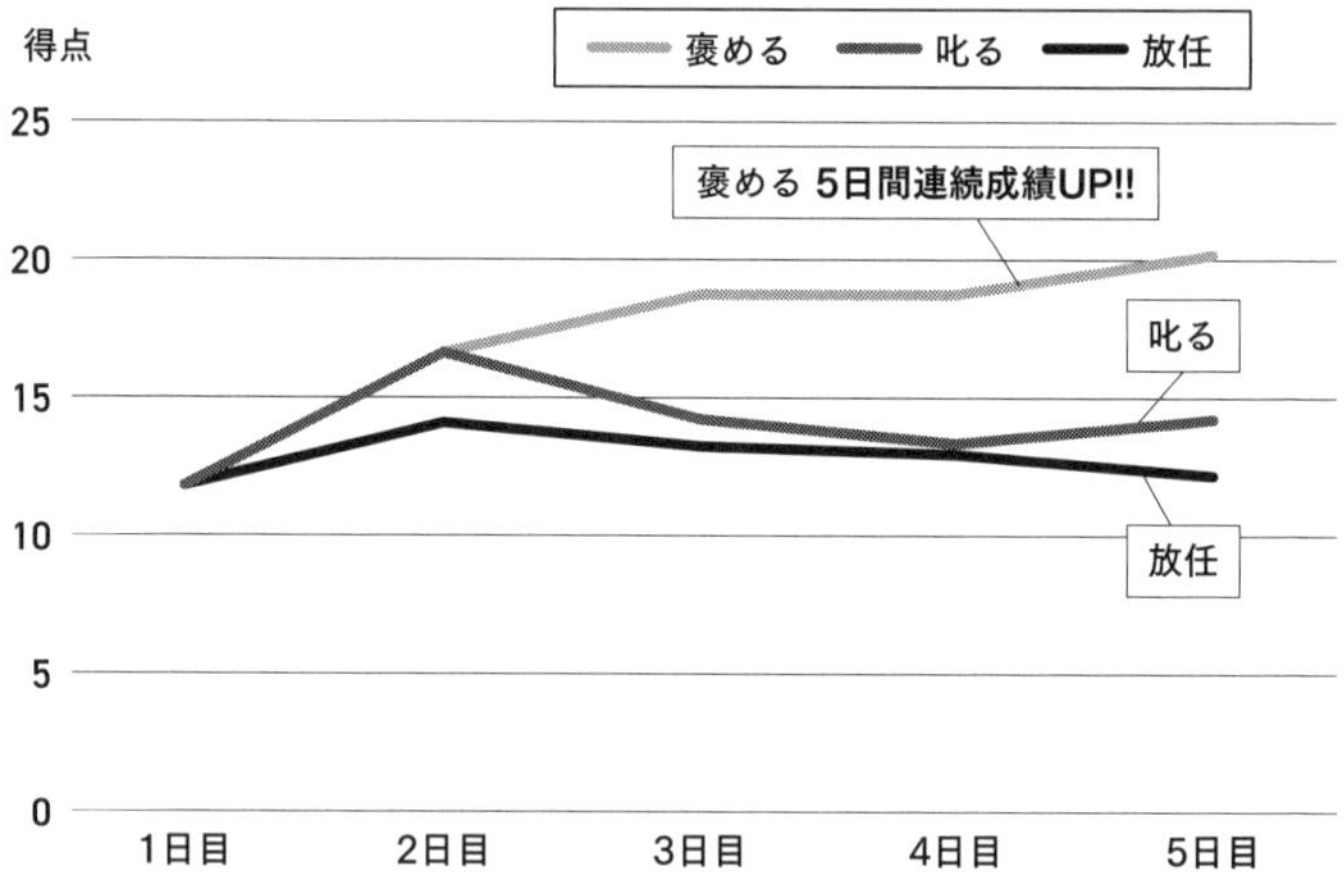

Unipos『マネジメントは「叱る」より「褒める」が効果あり！その根拠とすぐ使える効果的な褒め方』を基に作成

モチベーションが高まるエンハンシング効果

部下が仕事を楽しいと感じるために、称賛する、同僚から尊敬されるといったことが有効であるのは、心理学でいうエンハンシング効果に基づいています。エンハンシング効果とは心理学用語で、外発的モチベーションを刺激することにより内発的モチベーションを高めることをいいます。

内発的モチベーションとは、人が心の中にもつ興味・関心などをもとに、自発的に行動を促す内面的な要素で

す。一方の外発的モチベーションは、行動した結果、本人が得られる褒め言葉、周囲からの尊敬、「すごいね」といった言葉など外部から本人のモチベーションを高める要素のことです。

こうした褒められる、称賛される、尊敬されることで成果が上がるというエンハンシング効果は、アメリカの発達心理学者、エリザベス・ハーロックの1925年の実験によって立証されたものです。ハーロックは、子どもたちを3クラスに分けて5日間、計算テストをさせる実験をしました。そして、答案を返す際の教師の態度①点数にかかわらずできたところを褒める「称賛クラス」②点数にかかわらずできていないところを叱る「叱責クラス」③何も言わずにただ答案を返すだけの「放任クラス」とそれぞれ分類して、最終的な結果の違いを比較したのです。

その結果、①「称賛クラス」が5日間続けて成績が上がり、②「叱責クラス」は最初の3日間は成績の向上が見られたものの以降は失速し、③「放任クラス」は初めのうちだけ成績の向上が見られただけで、最終的に大きな変化はなかったと結論づけています。

この実験は子どもを対象としたものではありますが、のちに教育だけでなくビジネスやスポーツなどの分野にも応用され、一定の成果が見られるものとして広まりました。

「誰かがカバーしてくれる」と信じている部下のビリーフを書き換える

仕事の楽しさや価値を感じることができているはずなのに、それでも集中できずにミスを頻発する場合は、自分がミスしても誰かがカバーしてくれるというビリーフをもっているケースがあります。

例えば、書類のチェックをする役割の人が、自分がミスを見逃したとしても、○○さんがダブルチェックをしてくれるから見つけてくれるだろうと考えていれば、ミスを見逃すことが増えます。

部下がどんなビリーフをもっているかを知るためには、部下と対話を重ね、どのような考え方で仕事をしているのかなどを明らかにしていく必要があります。例えば、「Aさんは能力も十分にあって、仕事の内容もよく理解できているね。ただ、仕事に集中できずに同じようなミスを繰り返してしまうというのは、何かあるんじゃないかと思うんだけど……」などと会話を切りだします。

このときに大切なのは、詰めるような言い方にならないようにするということです。「なんでこんな些細なミスを繰り返すんだ！」というように上司が怒りの感情とともに話してしまうと、部下は責められていると感じて自己防衛をするための言い訳を始めます。そのため、部下と話をするときには、「なぜか」と問うのではなく、その問題を引き起こしているのが「何か」を聞くようにします。

例えば「Aさんがこの仕事を完璧な状態で仕上げるために障害になっているものって何だろう？」というように尋ねます。そうすると部下は、上司が自分を責めているのではなく、知ろうとしているのだと感じます。ミスの原因を「なぜ」と問うのも「何か」と聞くのも、上司としては原因を知りたいからですが、受け手の感じ方はまったく違うものになることを知っておく必要があります。

ただこう聞いたからといって、すぐに本当の原因が出てくるとは限りません。時間が足りないとか、ほかに抱えている仕事が気になっているなど、まずは表面的な理由が出てきます。その段階では、どうすればその障害を取り除けるかを一緒に考えます。仕事に優先順位をつけたり、スケジュールを調整したりといったことをして、「どうすればこれができると思う？」というように、部下本人に考えさせます。そして、本人の口から「こういうふうにやってみます」という言葉が引き出せるところまで話します。

このような方法によって改善する人もいますが、なかには改善しない人もいます。それはまだ本当の理由（真因）にアプローチできていないことを意味します。しかも、その本当の理由には本人も気づいていないことがほとんどです。

例えば、このレベルの仕事ならそこまで完璧なものを出さなくてもいいだろうと思っていたり、ダブルチェックでほかの人の目が入るから大丈夫だと思っていたりといった、心の奥底で信じている本当の理由、つまりビリーフがあります。これを部下から引き出すのは簡単ではありません。ビリーフを引き出すためには「同じミスを繰り返すっていうことは、たぶん何か信じていることがあると思うんだけど、何を信じている感じがする？」と質問します。このとき「何を信じているの？」と聞いてしまうとストレートな表現であり過ぎるために、聞かれたほうは苦しくなってしまうので、質問するときのポイントは「何を信じている感じがする？」というように「感じがする」という言葉を添えることです。そうすると、答える側は「～な感じがします」と、答えを濁すことができるので、自分の心の内を話しやすくなります。

実際の場面では、上司から部下に対して、心の根っこの部分で何を信じている感じがするかを問いかけます。すると、「ミスは誰でもするものだから、たとえミスをしても誰かがカバーしてくれるだろうと信じているような感じがします」というような回答が返ってきます。Aさんの場合は小さい頃から野球をやっていて、親からミスは誰でもするものだから気にするなと言われ続けていたことが分かりました。

部下の信じているビリーフが明らかになったら、次はそれを書き換えていきます。このとき、信じていることを崩す質問をしていくのですが、Aさんの例では次のように話を進めていきます。

毎回ミスをしていると、Aさんは周囲からどう見られるかを聞き、いつもミスをする人だという印象をもたれることに気づかせたうえで、Aさんの仕事をチェックする人に意識を向けさせます。Aさんの仕事をチェックする人は、Aさんがいつもミスをするので慎重にチェックせざるを得ず、Aさんの仕事のチェックに時間がかかります。そのせいで、ほかの仕事にしわ寄せがいき、巡り巡って顧客に迷惑がかかることもあることを認識させます。

そうやって、自分の信じているビリーフによって周囲にどんな影響を及ぼすのかを認識させたら、迷惑をかけている相手の立場になって考えさせます。また、自分のキャリアにどんな影響があるのかについても、考えさせていきます。

上司から「ミスをしても誰かがカバーしてくれるAさんが信じていることによって、少なくともAさんの仕事をチェックする人、会社、お客様の3カ所に迷惑をかけていることになるよね。そうやっていつも迷惑をかけられていたら、どんな感情になるだろう? あなたとの仕事に対するモチベーションとか、あなたに対する気持ちとか、もしAさんが逆の立場だったらどう?」などと問いかけ、立場を変えて考えさせます。さらに、Aさん自身のキャリアや信用にもデメリットがあることに気づかせます。

ここまでくると、さっきまで信じていたビリーフに違和感を覚えるようになっているので、あとはそのビリーフを望ましいものに書き換えていきます。

この時点でAさんに、ミスしても誰かがカバーしてくれるから大丈夫というこれまでにもっていたビリーフを、もう一度声に出して言ってみるように促すと、Aさんは自分勝手でとてもひどいことを言っているような感覚になっています。そして、これからはどんなことを信じるかを考えます。Aさんの口から、「正確な仕事をすることは、社会人として最低限の義務だと気づきました」などという発言を引き出せたら、上司は「Aさんがそう思うようになったのなら、今までのように頻繁にミスが出ることはないよね。これからいろんなことがうまくいきそうな感じが僕にはしているんだけど、Aさんはどう思う?」と聞きます。また、同時にAさんの仕事のチェックをしてくれる人の感情がどう変化するのかにも考えを巡らせるように促します。

Aさんの口から「私もなんだかうまくいきそうな感じがします!」という言葉が引き出せたら、その瞬間からAさんの行動は変わります。

こうやって、部下が信じていたビリーフを書き換えることができると、部下の行動は自然に変化していきます。

この一連の話を通して部下の根っこにあるビリーフが出てくるわけですが、時には成育環境にまで関わる深い話になることもあります。その場合は気軽にアプローチすることはできません。

集中できないという部下のケースでも、Aさんのようなケースもあれば、もっとヘビーな話になることもあります。

例えば「何かを完璧に成し遂げると、良くないことが起きると信じているような感じがします」と言う部下の話を聞いていったら、子どもの頃の親との関わりに話が及ぶこともあります。完璧に物事をこなしていると親は相手をしてくれなかったけれど、ミスをすると怒りながらでも相手をしてくれたというようなケースです。

こういう人は顕在意識では意図していませんが、無意識下にある思い込みの影響を受けてミスをしてしまいます。本人も気づいていないところで、構ってほしいという意識が働き、ミスをしてしまうというわけです。その部下にとっては、親に怒られていたということが、上司に叱られるということにおき換わっただけなのです。

完璧なアウトプットをしていたら、「ありがとう。これでOKだよ」と上司との関わりはさらっと終わってしまいますが、ミスをすれば「なんでこんなミスをするんだ！」と注意されるという関わりが生まれます。そのような関わりを、無意識に起こそうとしているのです。

このタイプであるかどうかの見分け方としては、その仕事に限らずほかのことも成し遂げられているかどうかを見ます。ほかのことでも同じような傾向が見られるようなら、幼少期の思い込みを矯正できるレベルの高い専門家に任せる領域になってきます。

部下の口から「できない自分を残しておかないといけない感じがする」というような言葉が出てきた場合、それは上司の力でなんとかできるレベルではないので、専門家への相談を検討することを勧めます。

デキない② スケジュールを守れない

【モデルケース1】スケジュールを守らない

Bさんは入社2年目で、仕事の内容や職場の環境にもだいぶ慣れてきました。ところが、一人で業務にあたるようになってから、決められたスケジュールどおりに仕事を進めることができなくて締め切りに遅れがちです。

Ｂさんが締め切りに遅れるようになったのはなぜなのかを上司が探ってみたところ、1年目のときには指導係の社員がスケジュールどおりに仕事が進んでいるかをチェックし、遅れそうになると声を掛けるなどのサポートを手厚くしていたために問題が表面化していなかったのだということが分かりました。

仕事のスケジュールを守れないことに関して、上司はＢさんとの面談の席で話をすることにしました。

「Ｂさんの仕事が遅れると、Ｂさんの次の工程を担当する人の作業に割ける期間が短くなってしまい、負担をかけることになることは分かるかな？」

上司がそんな話をすると、Ｂさんはキョトンとしたような表情を浮かべました。それまで、Ｂさんは自分が締め切りを守らないことで周囲に迷惑がかかっていることにも気づいていなかったようです。

そのときは反省したそぶりを見せたＢさんでしたが、その後もたびたび締め切りに遅れることが続きます。Ｂさんの指導係だった社員に確認したところ、スケジュールに無理があるというわけではなく、Ｂさんがその業務をミスなく遂行するのに十分なゆとりのあるスケジュールになっているということです。

「自分が締め切りを守らないことで周囲に迷惑がかかることは理解しているはずなのに、どうしてスケジュールどおりに仕事ができないんだろう……」

上司はどうすればよいものかと、頭を抱えてしまいました。

スケジュールを守らない部下の思い込み

スケジュールを守らない部下はスケジュールを守らなくてもなんとかなると信じ込んでいる可能性が考えられます。Ｂさんの場合もこれにあたります。実際には周囲に迷惑がかかっていたり、サポートをする社員に負担がかかっていたりするのですが、Ｂさんは入社年度が浅いこともあり、そこまで広い視野で仕事をとらえることができていません。

Ｂさんの仕事が遅れることで、ほかの社員に迷惑がかかっていることを上司が話し、状況を頭では理解したＢさんですが、その後もスケジュールを守れるようにはなりませんでした。もしＢさんがスケジュールを守らなくても、周囲の人たちが仕事全体に大きな支障を来さないようにフォローし続けてきたのだとすると、スケジュールを守らなくてもなんとかなると、Ｂさんがより強く信じ込んでしまっていたとしても無理はありません。

このように、スケジュールを守らなくてもなんとかなるというビリーフがどんどん強化されてしまうと、それを覆すのは簡単にはいかないのです。ダイレクトにスケジュールを守るようにと伝えても、改善は望めません。

期限を守らないとどんな迷惑がかかるのかを逆の立場で体験させる

周囲に迷惑がかかるということを頭では理解していても実感としてピンときていない場合は、スケジュールを守らないことでどんな迷惑がかかるのかを逆の立場で体験させるというのも一つの手です。前の工程が後ろ倒しになることで、その次の工程を担当する人がどれくらい負担を感じるのかを理解できれば、仕事をするうえでスケジュールを守ることがいかに大切なのか身をもって学ぶことができます。実際にBさんの仕事に大きく影響するスケジュールを誰かが守らなかったタイミングをとらえて、次のように話をしていきます。

まず上司のほうから、スケジュールを守らなかった人に対してどんな気持ちなのかを聞きます。そのうえで、Bさん自身が同じことをしているのだと気づかせます。さらに、自分は次からどうするかをBさんの口から言うように促します。

このように部下が自分の行動が周りにどう思われているかを理解することで、行動が変わっていくようになります。

スケジュールを厳守させるためのペナルティを科す

それでも変化が見られない場合には、ペナルティを科すことを考えます。周囲に迷惑がかかることが分かっていてもスケジュールを守れない人は、人に迷惑をかけることをなんとも思っていない可能性があります。そこで、上司の側がアプローチを変えるというわけです。その際は、本人が不利益だと感じるようなペナルティを設定します。

まずは、本人が人に迷惑をかけるということに対してどれくらい悪いと思っているかを理解させるために数字を使って表現させます。上司から「スケジュールを守れないことについて、Bさんはどれくらい悪いと思っているかを10段階で表すとしたらどのくらい？」などと問いかけると、部下は自分の感覚を数字にして答えます。部下が「8くらいですかね」などと答えたとしたら、「8くらいは悪いと思っているんだね。逆に言うと残りの2は悪いとは思っていないんだね」と話すと、「残りの2は、スケジュールを守らなくてもなんとかなるかなと思っています」などと部下の本音が出てきます。部下の本音を受け止めたうえで、上司から「スケジュールを守らないといけないと信じている理由と、守らなくてもいいと信じている理由がそれぞれあると思うんだけど、よかったら教えてもらってもいい？」と尋ねます。そうやって、部下本人が信じているビリーフを聞き出したうえで、望ましいビリーフに書き換えていきます。

「締め切りを守らなくてもなんとかなる」というビリーフを書き換える方法

スケジュールを守らなければいけないという根拠と、守らなくてもいいという根拠をホワイトボードに書き出しながら話していく方法もあります。

「スケジュールを守らなければならないと思う根拠をホワイトボードに書いてみて」と言って、部下に書かせます。スラスラと書き終えたら「まだあるんじゃないかな」と言って、部下に根拠を絞り出させます。たくさん挙げることができたら、今度は守らなくていいと思う根拠を部下に書かせます。

その後、部下と一緒にホワイトボードを眺めながら話していくと、部下の根拠は説得力が乏しいことに気づきます。スケジュールを守らないことが悪い習慣になっていることも見えてきます。その場合は、「これは習慣になっちゃっているから、このままだとたぶんまた同じことをやってしまうと思うんだけど、これを続けていくとどんなことが起きていくのか考えてみよう」と進めていきます。会社にはどんなデメリットがあるのか、チームにどんなデメリットがあるのか、部下本人にどんなデメリットがあるのかをホワイトボードに書き出していきます。

このように可視化して、スケジュールを守らないことで会社やチームにかかるデメリットの大きさを知ってもらい、部下本人が被るデメリットがどれほど深刻なことなのかを理解することで、部下のビリーフを書き換えていきます。

【モデルケース2】スケジュールを守れない

Cさんは入社4年目です。やり方が決まっているような仕事はすでに正確にこなせるようになっています。後輩への指導も丁寧にしており、仕事をよく理解しているものの、いまいち自分に自信をもてずにいました。その様子を見た上司は、自信をつける良い機会にしてほしいと思い、Cさんをプロジェクトの担当者にしようと考えたのです。

そこで、新たなイベントの企画書を作成するように指示をしました。ほかの仕事との兼ね合いも考えて、余裕をもって提出期限を定めたのですが、期限を過ぎてもCさんからは「もう少しお時間をください」と連絡があるのみで、いっこうに企画書が提出されません。

最近のCさんの様子を見ていても、Cさんが企画書の作成を怠っている様子はありません。それどころか、さまざまな資料を集めたり、リサーチをしたり、関係部署にいる同期にアドバイスを求めたりと積極的に取り組んでいる様子でした。

それなのに、なかなか企画書が提出されないことを不思議に思った上司は「できているところまででいいから、一度見せてもらえるかな?」と声を掛けました。すると、Cさんは「まだ完璧ではないのですが……」と申し訳なさそうな様子で、作成途中だという企画書を見せてくれました。

上司が中身をチェックすると、初めてのことなのでまだ詰めが甘い部分はあるとはいえ、よく考えられていると感じました。そのことをCさんに伝えると、「いえいえ、まだとても見せられる状態ではなくて……」としきりに恐縮しています。

Cさんの話を聞いてみると、本人としては自信がなくて微修正を繰り返すうちに、期限を過ぎてしまったのだということでした。

上司はCさんに今後大きな仕事を任せていきたいと考えています。そのためにも、決められた期限内に自分の考えを自信をもってアウトプットできるようになってほしいのですが、上司としてどうやって育てていけばよいものか悩んでいます。

親との関わりのなかでつくられた思い込みの根深さ

Cさんのケースは、能力にはまったく問題が見られません。本人も期限までに提出しようと奮闘しており、締め切りを守ろうという意識も見られます。上司が客観的に見て及第点の企画書ができているという事前の評価まで伝えているのに提出できずにいるというのは、その企画書を出すことで上司から最終的に良い評価を得られずに否定されることを恐れているからだと考えられます。

この場合、子どもの頃の親との関わりに原因があり、Cさんの心理に影響を与えていると考えられます。Cさんは幼い頃に親に認めてもらった体験が非常に少なく、逆に否定される体験ばかりをしてきた可能性が高いといえます。そのため、自分は無条件に愛される存在なのだと思えないままに育ってきて自己肯定感が低く、私はできるという自己効力感も低いため、自信がもてません。

自分は無条件に愛されてきたという感覚がない人は、大人になってからもなかなか自分をかけがえのない存在だと考えることはできません。そればかりか、自分を痛めつけるような環境に自ら身を投じてしまったり、自分を否定してくるような相手と付き合ってしまったりしてしまいます。

例えば、DV（ドメスティックバイオレンス）を繰り返すような人とばかり付き合ってしまったり、わざわざブラック企業と呼ばれるような会社を選んでしまったりしてしまうことがあります。しかし、自分が無意識にそういう選択をしていることに、まったく気づいていないことがほとんどです。

自己肯定感が低い人には次のような特徴があります。

・自信がない
・人の顔色を見る
・傷つきやすい
・忍耐強い

・自己主張をしない
・罪悪感が強い
・不安を強く感じる
・挑戦しない
・自分のせいにする
・人に合わせ過ぎる

もちろんこれらの傾向がプラスに働くこともあります。例えば、人の顔色を見るということは、空気を読むのが上手ということでもあります。

その一方で、このタイプは「自分なんて……」と必要以上に自身を卑下する傾向があります。やっぱり自分はダメだと確認する材料を無意識のうちに集め、その材料を見て自分はダメだという考えを強化してしまいます。どんなに多くの人から良い評価を受けたとしても、たった一人が悪い評価をすれば、やっぱりダメなんだと考えてしまうのです。この思考のクセを改めるのは簡単ではありません。

褒めることで部下の気持ちは一時的に楽になる

根本的な解決は難しいのですが、応急処置として有効なのは、上司が心から褒めることです。このタイプは褒められることで、気持ちが一時的に楽になるからです。そのため、上司が適切に褒めることを継続していけば、徐々に自分の意見を言えるようになることもあります。

あなたはこの部署にとってかけがえのない存在だと根気よく伝えていくことで、部下は心を開いてくれるようにもなってきます。Cさんのような部下を育てるときには、上司は数年単位の長期戦を覚悟して接していく必要があります。

このタイプは、例えばプレゼンをしたときなどにも、その場の空気から自分のことをダメな社員だと思われたのではないかと悪い方向にばかり考えてしまいます。それは実際にそう思われているのではなくて、本人が勝手にそう思っているだけです。そのため、上司がよく褒めたり、存在を認めるような発言を重ねたりしていくことで、一時的に気持ちは楽になります。ただ、たくさん褒めてきたから、そろそろ厳しいことを言っても大丈夫だろうと厳しめのフィードバックをした途端、このタイプは今まで上司が褒めてくれたのは、やっぱり本音ではなかったのだと受け取ってしまいます。根っこの部分に刺さっている「私なんか」という考えを抜かないと、ニュートラルに物事を解釈できないのです。

世の中に、完璧にニュートラルに物事を見られる人は存在しません。誰でも何かしら色のついたフィルターを通して世の中を見ています。Cさんのようなタイプは、その度合いが強いというイメージです。濃い色のフィルターがかかっているので、何を見ても色がついて見えるようなものです。自分にとっての結論がすでにあって、何についても無意識にその結論のほうへもっていこうとします。第三者から見ればその解釈がゆがんでいることが分かったとしても、本人にとってはそれこそが事実だということがややこしいところです。周りがいくら言ったところで、周囲の意見をなかなか受け入れようとはしません。

そのため、上司として接するうえでは、そういうものだという多少の割り切りも必要です。そのうえで愛情をもって「あなたは大切な存在なんだ」「あなたは会社に必要な

■褒められるとやる気が高まるか

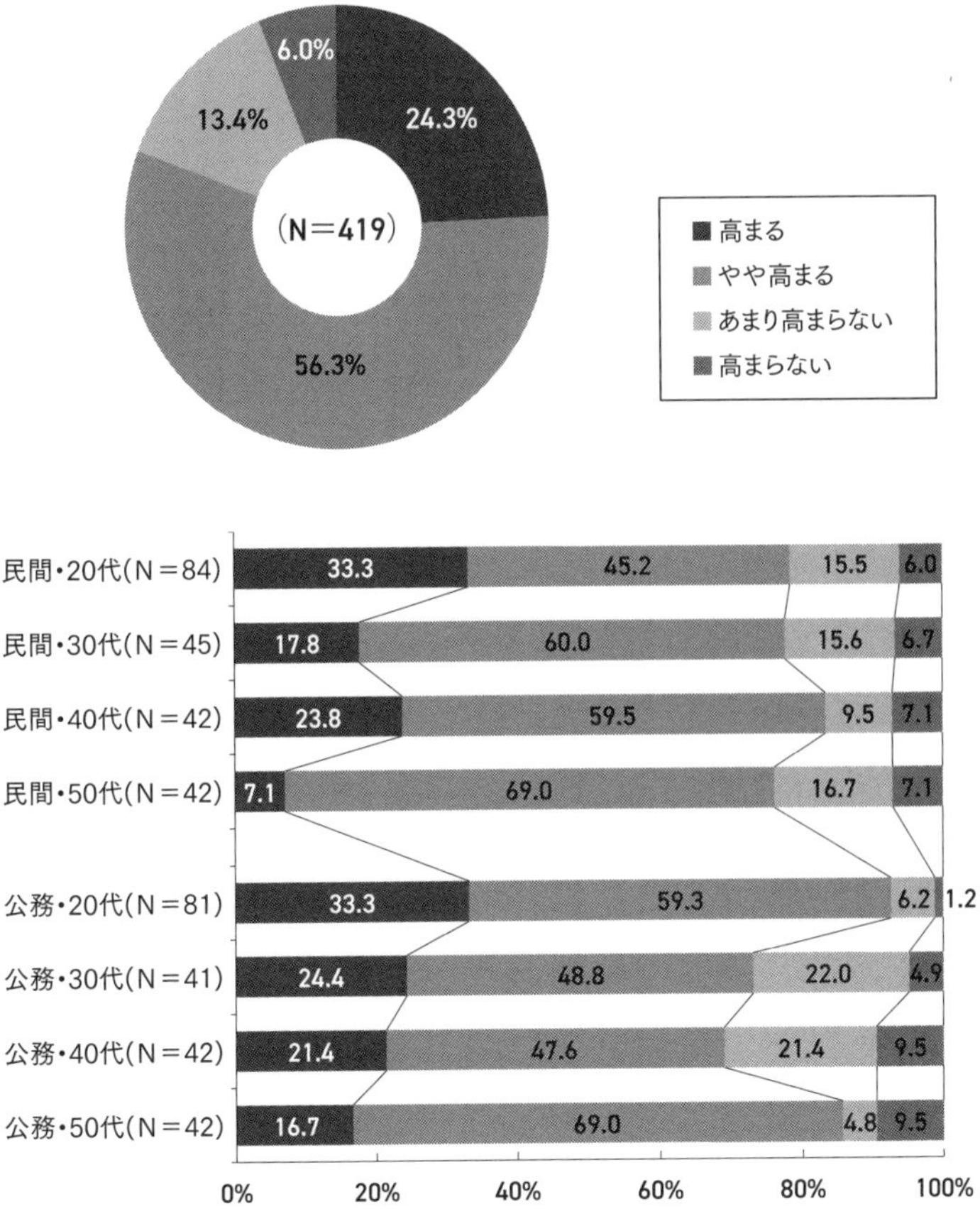

※構成比はそれぞれ四捨五入しているため、複数の選択肢を足し合わせた場合、グラフ内の数値の合計値が100%にならないことがあります

アットプレス「職場における『ほめる効果』に関するアンケート 調査結果」を基に作成

存在だ」ということを伝えていくことが大切です。仕事ができたかどうかではなく、その人の存在自体が不可欠なのだということを伝えるようにします。

そのうえで、アウトプットが出てきたら、それに対して良いところを5つ見つけます。それぞれを「これ、いいね。いいアイデアだよ。よく考えたね」というように褒めたうえで、「全体的に素晴らしいから、ここだけもうちょっと考えてみて」と伝えます。部下がダメ出しをされたと感じにくくするには「もう少し、こういう側面から調べてみて」「ここについてもう少し考えてみて」などというように話すのが理想的です。

そうやって褒めながら必要なフィードバックもして、まずは自信をつけさせることが重要です。そうすると部下は「上司が自分を認めてくれたうえで、さらに引き上げようとしてくれている」と感じるはずです。

心理学者のフレドリクソンと数学者のロサダによる研究によると、生産性・顧客満足度・社内評価などでより良い成果を出すには、ポジティブな感情とネガティブな感情との割合を3：1の割合で維持することが重要だとされています。ここでいうポジティブな感情に直結する役割をするのが褒めることで、ネガティブな感情に直結する役割を果たすのが叱ることです。

人が成長するためには、叱る回数よりも多く褒めることが必要です。だからといって、叱ることをまったくしないというのも良くありません。褒めてばかりいては取り組むべき課題や改善すべき欠点に目が向かず、成長の機会を逃してしまいます。また、叱ってばかりでは社員が新しいことに挑戦しなくなり、新規事業の立ち上げなどが滞れば会社は発展できません。

褒めると叱るの割合が1：1だと、部下はずっと叱られているように感じるという調査もあります。例えば、7：3とか8：2くらいまで褒める割合を増やして、やっと褒めると叱るの割合が半々だと部下は感じます。上司が少しくらい多めに褒めたという感覚では、部下は叱られているという印象のほうが強く残ってしまうのです。なぜなら、人は褒められたときのポジティブな感情よりも、叱られたときのネガティブな感情のほうが強く記憶されるからです。そのため、ポジティブな感情の割合を意図的に高めていくことが必要です。

しかも、Cさんのようなタイプはより自信をなくしやすい傾向があり、上司としては十分に褒めているつもりでも、褒める割合が少なければ自分は認められていないという感覚を抱いてしまいます。そのため、褒めると叱るのバランスは3：1が理想的です。

上司はこの黄金のバランスを意識してより多く褒める必要があります。実際には5つ褒めたら、改善点を1つフィードバックするくらいの感覚でちょうどよいです。

仕事上は、自己肯定感までは上がらなくても一定の領域の仕事に関して本人が得意だと思えるようになればよいのです。上司は親ではないので、すべての面で自信を高めてあげようなどと頑張る必要はありません。一つの分野で自信をもてるようにサポートするというのが上司に必要なことです。

部下が安心できる環境をつくる

部下が安心できる環境をつくることも重要です。2016年にGoogleが「生産性が高いチームは心理的安全性が高い」との研究結果を発表し、「心理的安全性」という言葉が注目されるようになりました。

「心理的安全性（psychological safety）」というのは、組織のなかで自分の考えや気持ちを誰に対しても安心して発言できる状態のことを指します。もともとは、組織行動学を研究するハーバード・ビジネス・スクールの教授であるエイミー・C・エドモンドソンが1999年に提唱しました。エドモンドソンは心理的安全性を、チームのほかのメンバーが自分の発言を拒絶したり、罰したりしないと確信できる状態と定義しています。

この心理的安全性について、Googleは2012年から「プロジェクト・アリストテレス」を実施して調査しました。このプロジェクトは、成功し続けるチームに必要な条件を探るというもので、約4年間をかけて社内のチームを分析対象として、より生産性の高い働き方をしているチームはどのような特徴があるのかを調べました。

その調査で明らかになったのは、心理的安全性の高いチームのメンバーはほかのチームメンバーが発案したさまざまなアイデアを上手に利用することができ、収益性が高いということです。心理的安全性の低いチームに比べてマネジャーから評価される機会が2倍多く、離職率が低いことも分かりました。

■ 心理的安全性が低くなる4つの不安

① 無知だと思われる不安（Ignorant）
② 無能だと思われる不安（Incompetent）
③ 邪魔をしていると思われる不安（Intrusive）
④ ネガティブだと思われる不安（Negative）

心理的安全性が担保されている状態では、チームメンバーの発言や指摘によって人間関係の悪化を招くことがないという安心感が共有されます。そのため、質問を口にしたり、アイデアを提案したりしても、メンバーに必ず受け止めてもらえると信じることができます。その結果、自分の頭に浮かんだアイデアや考えをためらいなく発言することができます。心理的安全性を高めることは、個人や組織の効果的な学習や革新につながるとされます。

逆に、心理的安全性が低い職場には、次の4つの不安があるとエドモンドソンは指摘します。

① 無知だと思われる不安（Ignorant）

もし質問や確認をしたら、こんなことも知らないのかと思われるのではないかという不安です。無知だと思われることを恐れるあまり、気になることや確認すべきことを聞けなくなってしまうことがあります。

②無能だと思われる不安(Incompetent)

仕事でミスや失敗をした際に、こんなこともできないなんてと自分が無能だと思われるのではないかという不安です。この不安が強いと、自分のミスを隠して報告しないなどの行動につながります。

③邪魔をしていると思われる不安(Intrusive)

自分が口を挟むと話の邪魔だと思われてしまうのではと不安になって、アイデアを提案したり、自分の考えを発言したりできなくなります。

④ネガティブだと思われる不安(Negative)

改善を提案したくてもほかの人の意見を批判していると否定的にとらえられるのではと不安になり、現状の批判をしなくなったり、意見があっても言わなくなったりします。

心理的安全性が担保されていれば、チームのメンバーがこれらの不安にさいなまれることがなくなります。そのため、言いたいことを飲み込んでしまうことがなくなり、コミュニケーションが活発になります。メンバー同士での情報交換もスムーズになるので、ミスなどのネガティブな情報も集まりやすくなり、たとえミスが発生したとしても早い段階で明らかになって素早く対応することが可能です。

心理的安全性が高いほどチームのメンバーは安心して仕事に集中できるので、個人のパフォーマンスが良くなります。それは仕事の効率や業績向上につながります。

また、どのような意見でも受け入れてもらえるという安心感があるので、斬新なアイデアが出やすくなります。現状を良くするための提言も積極的に行われるので、イノベーションが起こりやすい環境になります。そうやって自分の能力を活かせるので、社員一人ひとりの組織への愛着も強くなります。そうすると、優秀な社員が育ち、長く活躍してもらえるようになって、会社にもプラスになります。

デキない③ 指示やアドバイスを聞かない

【モデルケース】

Dさんは入社3年目で、仕事にもずいぶん自信がついてきたように見えます。最近は業務の無駄を省くためには自分のやり方のほうがよいと主張して、自分流で仕事をしようとすることが目立つようになってきました。それが良い結果になることもあれば、時には裏目に出ることもあります。先日も、本来の手順を無駄な手間だと考えて飛ばしてしまったために、あわや重大なミスを引き起こすところでした。

その部署で確立されている仕事の進め方は、これまでに起きたトラブルなどを踏まえてブラッシュアップされてきたものです。そのため、抜かしてはならない必要な作業であるにもかかわらず、Dさんは自分の判断で勝手に省いてしまったのでした。

このまま放置していては、いずれ重大なトラブルを引き起こしかねないと考えた上司は、Dさんに自分の経験を踏まえた話をすることにしました。過去にどんなトラブルがあったのか、何のためにその作業が追加されたのかなどを丁寧に話しました。Dさんは、その場では素直に上司の話に耳を傾けていたように見えたのですが、陰では「上司に武勇伝を聞かされてうんざりした」と同期に話していたようです。

その後もDさんの態度は改善することはありませんでした。相変わらず自分流での仕事を続け、自分のやり方がいかに効率が良いのかを主張してきます。

上司はDさんに態度を改めてもらおうと、手を替え品を替えコミュニケーションをとろうと努力を続けました。上司が話すと、Dさんは「分かりました」とうなずくものの、上司の助言を聞き入れて行動に移そうとする姿勢はまったく見えませんでした。

上司としては、アドバイスを素直に聞き入れて視野を広げてほしいのですが、Dさんは素直に聞くどころか、近頃では上司が仕事にうるさく口を出してくるとか、パワハラを受けているなどといったことを周囲に漏らすようになってきました。

これ以上何も打つ手が思い当たりませんが、このまま放置しておけば自分のマネジメント能力が疑われかねないと、上司は途方に暮れています。

指示やアドバイスを聞かない部下の意外な共通点

指示やアドバイスを聞かない部下には、自分の考えややり方に固執し自己中心的で、過度な自信から常に自分のほうが正しいと思っている、といった特徴があります。

そういった部下に共通しているのは、根底にあるべき「タテの人間関係」の感覚が希薄であることです。父性愛が不足した状態で大人になっているので、指示に従うという感覚自体がないことが多い傾向にあります。組織には上司と部下という立場があって、自分は部下という立場なのだと認識できていないのです。親が子どもに合わせてくれた家庭で育っているので、自分が指示をするのはいいけれど、誰かに指示されることを極端に嫌います。また、組織のなかでどう振る舞うべきなのかということも身についていません。

自然界では群れで暮らす動物のなかにボスがいて、子どもも含め群れ全体がボスに従いついていくというのが自然なあり方です。人間の場合も、この「ボスに従う」という感覚がある程度養われていれば、組織に属したときに、今自分は従うべき立場にあることや、指示に従うべきタイミングであるということが理解できます。

この感覚は口で言って分かるものでもありませんし、上司が教えようとしても、少し厳しくしようものならパワハラだと言われかねません。そのため、無理をしない程度に寄り添いつつも、上司側としてはできる範囲で対応していくというスタンスでいくほうが無難です。このタイプに苦戦するのは、上司のマネジメント能力が低いからではないというのは声を大にして言いたいところです。

人生において何が大切かを問う

このタイプは自分がどう考えるかを重要視するので、組織のビジョンはあまり重要視しません。それよりも、自分の好き嫌い、自分の収入、自分の未来など、自分のことだけを重要と考える傾向があります。そのため、その部下の味方という立ち位置から「将来はどこを目指したい?」「将来どうなりたい?」という質問を投げかけていきます。そうやって関係性を構築することで、部下のほうからアドバイスを求めてくるような状態をつくるのが理想です。

私が企業向けに行っている研修では、人生で大切にしていることを20個挙げるというワークをすることがあります。20個出せたら、そのなかでどれがより重要かを比較して順位をつけていきます。そうすると、自分が何を大切にしているかが見えてきます。それに会社で頑張ったり結果を出したりすることがどうつながるかを考えてもらいます。そうやって、自分自身でつながりを見つけられると、納得して動けるようになります。

職場では、そこまで本格的なワークをさせなくても、普段の会話や面談などを通してこの部下は家族を最も大切にしているとか、お金を稼ぐことを第一にしているとかいったことは見えてきます。部下の大切にしていることと組織のビジョンとをつなぐことができれば、この部署で仕事をしていくことで、自分の目指すところに辿り着けると部下に感じさせることができます。そのためには経験の豊富な上司のアドバイスが必要だと考えるに至れば、上司の言うことを素直に聞き入れるようになります。

まずは上司が味方であると認識させ、本人のビジョンと今やっていることをつなげる手助けをし、今やっていることが自分の未来へつながっているということを部下に気づかせます。

例えば、「会社の方針と、あなたが周りのアドバイスを聞いて頑張ることと、あなたの目標やビジョンの達成が、僕にはつながっていると思えるんだけど、どうかな。自分の人生の価値観と、仕事において目標を達成することがどうリンクしているか、考えてみようか」などと話します。会社の方針と自身の目標やビジョンの達成は必ずリンクしていると上司が断言したうえで部下に考えるように促すと、部下は自力でどうつながっているのかを見つけられます。ここで本人に考えさせ、どのようにリンクしているかを本人の口から言わせることがポイントです。

それを受けて、上司は味方として応援していることを伝えます。さらに「これまでにいろんな経験をしてきているから、アドバイスが必要になったときは言ってね」などと伝えて、部下から助言を求めてくるような下地をつくります。

部下の人生をサポートするような気持ちで接すると、心を開いてくれる確率は上がりますが、上司側が無理をしてまで寄り添うことは禁物です。「世の中にはいろんな人がいるよね」と、ほどよいところで割り切って接することがベストです。

業務委託に切り替え能力を発揮させる方法も

このタイプへの最善の対策としては、採用の段階で見抜いて採用しないということです。このタイプの人の対応に手を掛けたり、寄り添った対応をしたりしていると、ほかの社員から不満が出てきかねません。ほかの社員は組織の規律に従って行動しているわけで、その人だけ特別扱いしていては、組織がバラバラになってしまうからです。

それでも、すべてを採用の段階で見抜くのは難しいので、すでに採用してしまった人に手を焼いているようなら、業務委託という雇用形態に切り替えるというのも一つの手です。職場の上下関係ではなく、契約によって規定された対等な関係であれば、問題なく能力を発揮できることがあります。その際は、能力を最大限に活かしたいのだという気持ちをしっかりと伝え、了解が得られれば法や規則に従って切り替え手続きを進めるようにします。

上司はほかの部下に論理的に説明ができないことはやってはいけないと私は考えています。このタイプの社員をなんとかしたいという思いに駆られてイレギュラーな対応をしてしまうと、ほかの部下からの信頼を失ってしまいます。部下からの信頼を失った時点で、上司はマネジャーとしての仕事自体ができません。信頼を失うということは影響力を失うということでもあります。影響力を失ったらマネジメントができなくなることを、上司は肝に銘じておくべきです。

デキない④ 指示待ちで主体的に動かない

【モデルケース】

Eさんは入社2年目になって、担当業務を理解し自分で回せるようになっています。

上司が指示した業務については正確にスピーディーに行うことができ、仕事のクオリティーにまったく問題ありません。上司や先輩のアドバイスも素直に聞き、教わったことはどんどん吸収していきます。能力が高くて素直なので先輩からもかわいがられていて、いずれはこの部署を担う人材に育ってほしいと上司は期待を寄せています。

ただ、一つ心配なのは、Eさんが指示されていない業務には手を出そうとしないことです。Eさんは仕事に対して決してやる気がないわけではありません。むしろ、一生懸命仕事をしていると上司は評価しています。しかし、Eさんに欠けているのは主体性です。いつまでも指示待ちで、言われたことだけをやるという態度ではキャリアアップは難しくなります。

Eさんと面談をする機会に、上司は主体的に動けるようになってほしいと期待していることを伝えました。すると、Eさんは深くうなずきながら「私も主体的に動けるようになりたいと常々思ってはいるのですが、なかなかなれなくて……」とうつむいてしまいました。上司自身は思いついたらすぐに行動に移すタイプで、入社年度が浅い頃から積極的に先輩にアイデアを提案したり、新たな企画の担当を募っていればすかさず手を挙げたりしてきました。そのため、目の前でうなだれているEさんにどうアドバイスしてあげればよいのか、まったく分かりません。本人が主体的に動けるようになりたいと思っているなら行動に移せば済むのではと思うのですが、Eさんにとってそれはとても難しいことだというのです。とはいえ、Eさんはどこかのタイミングで殻を破る必要があります。それが今なのだとしたら、自分は上司としてEさんとどう関わればよいのか、ベストな方法が分からずにいます。

長いスパンで育てていくことを覚悟する

能力が十分にあり、本人のモチベーションも低いわけではないのに、指示待ちで言われたことにしか手を出さないというEさんのケースは、幼少期に指示命令型の親に育てられたことが原因だと考えられます。親から言われたことに疑問を抱くことなく従って育ったことで、自ら考え主体的に動くことについて訓練が不足しているので、訓練すれば改善する余地が十分にあります。

ただ、子どもの頃に身についてしまった行動パターンを大人になってから変えることは容易ではありません。何らかの働きかけをして、その翌日から変化を期待するということは望めません。

上司はたとえ時間がかかったとしても長期的に伸ばしていこうと腹をくくるところから始めます。時間をかけて部下を育てていくことは、一見手間がかかり面倒なことに思われがちです。しかし、部下の成長をサポートすることは、組織の能力を高め、競争力を維持するためには不可欠です。

そして、長期的に育成しようとする上司の姿勢は相手にも通じるもので、部下のモチベーションと忠誠心を高めることにもつながります。このことが、ひいては離職率の低下にもつながり、悪いことばかりではないのです。

主体的に動けるようになる仕事の任せ方

主体的に動けるようにするには、仕事を丸々任せるという仕事の振り方が有効です。

仕事を頼むときには「もし失敗したとしても、責任は私がとるから」という言葉とともに依頼するようにします。

このタイプは失敗を極端に恐れる傾向があります。成長する過程で、親が指示を出し、本人はそれに従うというのが当たり前になっていたので、自分で考えて動くという訓練が足りていません。加えて、言われたことをそつなくこなしてさえいれば怒られることもなかったので、新たなことに手を出して失敗したら怒られることになるのではと不安になります。その不安を取り除くためには、上司が「誰だって失敗するんだから気にせずにやってみて」と声を掛けて背中を押してあげることが大切です。

このタイプは本人も心の中では主体的に動けるようになりたいと思っているものの、どうすればよいか分からないということが少なくありません。そこで、主体的に動けないのは単に訓練不足に過ぎないこと、訓練すれば必ず主体的に動けるようになることを本人に認識させます。

上手に泳げるようになるまでには、まず水に顔をつけるところから始まって、けのび、バタ足、腕のストロークの練習と段階を踏んでいったのと同じように、主体的に動けるようになるまでには時間がかかります。それでも、必ずできるから取り組んでみようと勇気づけます。そのうえで、主体的に動けるようになるための協力は惜しまないということを伝えます。

このような話をしたあとに、自分で主体的に動けるようになりたいかを部下本人に聞くと、ほぼ例外なく主体的になりたいという回答が返ってきます。その際に上司が、「必ず主体的に動けるようになるよ」と言い切ることが大切です。「時間がかかるかもしれないけれど、専門家の先生も言っているから大丈夫」などと、本人が納得できるように保証すると部下も前向きに取り組めます。

「クリアリング」で部下の考える力を育てる

Eさんのようなケースで主体的に動けるようになるための訓練として勧めたいのがクリアリングです。クリアリングでは、その日にあった良かったところと改善すべきところ、次からはどうするかという決意を書き出すというものです。自分の仕事を振り返って分析し、自分の頭で次にすべき行動を考えます。これを毎日の習慣として、自分の頭で考え自ら行動し始める能力を磨いていくのです。

■ クリアリングの例

良かったところ
・商談時の対応が丁寧だとお客様に褒められた

改善点と決意
・資料作成の前日までに必要なデータをすべてそろえるようにする
・商談の準備に時間をかけ過ぎない。目標15分!

良かったところや改善すべきところをスラスラと挙げられたら、そこからが本番です。必ずまだ書くべきことがあるはずだと信じて、さらに考えます。これを続けていくと、考える力が飛躍的に伸びます。

じっくり時間をかけて行うことが重要なのですが、クリアリングの意義をきちんと理解していないと、ほどほどのところで良しとしてしまいかねません。そうならないように、事前になぜクリアリングをするのか、クリアリングをすることでどのような効果が期待できるのかを部下にきちんと伝えておきます。

Eさんのようなタイプは、自分が指示待ちで主体的に動けない自覚があり、自分で考えて動けと言われてもできずに困っているので、クリアリングがその解決策だということを伝えれば、真剣に取り組めます。

クリアリングは社員一人ひとりの考える力を伸ばすと同時に、会社の業績アップにもつながります。その理由は2つあります。

1つ目は、良かったところをきちんと分析することで、うまくいったことの再現性が高まるからです。そのときは偶然うまくいったのだとしても、うまくいった要因を分析し把握することで、もう一度同じようにうまく実行できるようになります。振り返りをするときには改善点を挙げることばかり考えがちですが、今日はなんだかいつもよりうまくいったと感じたときにこそ、それはなぜだろうと考えるようにします。すると、うまくいった要因が次々と挙がってきます。それをリストアップして部署内で共有しておけば、次回にほかの社員が担当する際の参考になり、同じように成功させることができます。

2つ目は、業績アップに大きく寄与するような改善点を見つけられるからです。すぐに思いつく改善点をひととおり挙げてから、まだあるはずだという前提で考え抜くうちに、今まで見逃されていたことに気づくことができます。それは本人の成長と業績アップに大きく寄与する改善点になり得ます。クリアリングをするにあたってよくある間違いは、良かったところの中身が分析になっていないことです。例えば、「お客様に感謝の言葉をいただいてうれしかった」というように事実だけを書いてしまう人がいます。確かに、それも良かったところに違いないのですが、ここでの「良かったところ」の肝は、どんなことをしたからお客様に感謝されたのかということのほうです。こんなことをしたから、こうなったという書き方をしないと分析にはなりません。

クリアリングの意義を伝えるうえでは、上司が自分のやっているものを見せて、「クリアリングで考える力が伸ばせるんだよね」と伝えるのも効果的です。最初は時間がかかりますが、要領を得ると徐々にスピードが上がっていきます。私自身は毎日20分ほど時間をかけてじっくりやっています。クリアリングにはそれだけの時間をかける価値があるからです。毎日のクリアリングを通して、粘り強く考える姿勢が組織全体に浸透していくと、上司が放っておいても社員一人ひとりが自分で考えて改善していくようになります。

Eさんのようなケースは長いスパンで見ていくことが必要ですが、クリアリングを始めて1年も経てば、かなり考える力がついたという実感を得られるはずです。うまくいった理由を分析することで分析能力、問題を見つけることで問題発見能力、さらにどう改善するかを考えることで問題解決能力を向上させることができます。

問題解決よりも問題を発見することのほうが頭を使うものです。問題発見能力があって、ほかの人が見逃してしまうような問題に気づける人がイノベーターと呼ばれます。例えば、スティーブ・ジョブズは2000年代の初頭にほかの人が気にも留めていなかったCDの問題にいち早く気づきました。そして、iTunes Storeをつくり音楽業界のあり方をガラリと変えました。今では音楽をダウンロードして楽しむというスタイルは当たり前のものとなっています。

クリアリングを取り入れるときには、クリアリングまでを業務として組み込んでおくとじっくりと腰を据えて取り組みやすくなります。実務が終わったあとにさらに数十分をかけるだけの価値があるということは、実際にクリアリングを日々実践してみるとよく理解できるはずです。

デキない⑤ ほかの社員らと協力しない

【モデルケース】

Fさんは入社して3年目になり、任される仕事の量も増えてきています。4月からは新入社員の指導係をすることになりました。これまでの自分の業務に加えて後輩の指導に時間を多くとられるので、部署のなかでもFさんの残業時間が大幅に増えています。

上司は業務量の調整をしようと考え、Fさんと面談をすることにしました。今抱えている仕事や、後輩の指導について負担に感じていることがないかを尋ねると、Fさんからは「大丈夫です」「頑張ります！」という答えが返ってきます。ただ、上司の目にはFさんが自分でなんとかしようとして、明らかに無理をしているように見えます。

もともと仕事を抱え込んでしまう傾向のあるFさんですが、これまでは部署内で最も社歴が若い立場だったので、周囲の先輩社員がさりげなくカバーしてきました。しかし、新入社員が入ってくると同時に先輩社員が異動になっており、これからは自分から協力を求めなければ、カバーしてもらうことは難しくなります。このままでは、Fさんが仕事を抱え込んでどうしようもなくなるという事態に陥ることは、火を見るよりも明らかです。

上司は困ったときにはすぐに相談してほしいし、もっと周囲と連携して助け合ってほしいとFさんに伝えているのですが、なかなか改善しない状況が続いています。

頼るのは悪いことではないと理解させる

もともと仕事を抱え込んでしまう傾向があるというFさんのケースは、人を頼ってはいけないというビリーフをもっていることが原因である可能性があります。何でも自分でやるようにという方針の親に育てられると、人を頼ってはいけないというビリーフが幼少期に形成され、大人になってからも人に頼ることができなくなります。このタイプは、人に頼るのは弱さの表れであるとか、人に頼るのは能力が低い証拠だというビリーフをもっていることがよくあります。

人を頼ってはいけないと信じているので、自力でなんとかしようと一生懸命に大量の仕事をこなします。それによって高い評価を得て、さらに多くの仕事を抱え込むようになることもあります。Fさんのようなタイプが仕事ぶりを評価されて上司になると、人を頼ってはいけないというビリーフはそのまま残っているので仕事を部下に任せられずに自分でやろうとして潰れてしまうということも起こり得ます。すごく優秀な人が管理職になった途端にパフォーマンスが下がり、心を病んでしまったというケースは、さまざまな企業で起こっていることでもあります。

Fさんのなかに、人に頼ってはいけないというビリーフがあるとすれば、人を頼ることでうまくいった事例をたくさん見せると考え方がガラッと変わることがあります。人に頼ってはいけないというビリーフの反例を見せることで、自分の信じていたビリーフが間違っていたと認識させるのです。

例えば、人に頼るのは弱い人のすることだからしてはいけないと考えているFさんのビリーフを書き換えようとするなら、次のようなやりとりをしていきます。

上司からFさんに尊敬している経営者は誰かを聞きます。そして、その人物について強い人だと思うか、弱い人だと思うかをFさんに問います。その経営者は多くの人を束ね、困難な状況も乗り越えてきている人なので、Fさんは強い人だと答えます。それを確認したところで、上司から「その経営者は部下を頼って仕事を任せている？　それとも部下を頼らずにすべて自分でやっている？」と聞いてみます。そこでFさんは自分の尊敬する経営者であっても部下を頼り、仕事を任せていることに気づきます。そのうえで改めて、上司から「あなたの尊敬する経営者も部下に頼っているけど、弱い人？」と問います。Fさんが、人に頼るのは弱い人のすることだと思っていたけれど、そんなことはないということに気づけたら、最後に仕事を人にお願いするイメージをさせます。そして、これからは自分が忙しくて手が回らないときは、人に仕事をお願いできそうな気がするという言葉をFさんから引き出すことができたら、その瞬間からFさんの行動は変わっていきます。

このように、尊敬している人を挙げてもらい、その人が強いか弱いかを答えさせたうえで人に頼っているか頼っていないかを確認すると、自分が尊敬している人でも誰かを頼っていることに気づくことができます。人に頼るからといって弱いというわけではないことを理解できると、それまで信じていたビリーフが崩れていきます。

感謝や尊敬の気持ちを伝え合える関係性を築く

Ｆさん自身のビリーフを書き換えることに加えて、社員同士が互いに認め合い、褒め合う風土があれば、Ｆさんのような社員もほかの社員を頼りやすくなります。そのためには、まず上司自身が「明るい部署にしよう」と決め、みんなが楽しめる雰囲気をつくろうとすることが大切です。上司がユーモアをもって振る舞うようにすると、部署の空気もほぐれていきます。そのうえで「ありがとう」という言葉を積極的に言い合えるような仕組みをつくっていくと、自然と協力し合えるチームに育っていきます。実際に「あなたと働けることが私はうれしくて、ありがたい」ということを、理由とともに相手に伝える場をつくってみると、一気に職場の空気が変わることを実感できるはずです。

また、一日10回「ありがとう」と言うことを提案するのも効果的です。そうすると、これまで口に出してお礼を言っていなかったような些細なことにまで「ありがとう」と言い合えるようになり、職場内に感謝の言葉が行き交うようになります。

感謝の気持ちをもつと、脳内から精神を安定させるセロトニン、快感や多幸感を得たり意欲をつくったり感じたりするドーパミン、愛着を深めたりストレス反応を弱めて情緒を安定させるオキシトシン、免疫アップなど脳内麻薬ともいわれるエンドルフィンといったホルモンが分泌されることが分かっています。社員たちの精神が安定して意欲も出て、互いに好感がもてれば職場のチームワークも良くなります。

私の会社のミーティングは、それぞれが最近あった良かったこと、うれしかったこと、新しい体験などを報告する「グッド・アンド・ニュー」から始めています。これは話すほうも気分が良く、聞いているほうも楽しいものです。

例えば、ある社員が「昨日、子どもが初めて歩きました」と話したら、参加者は口々に「わー、素晴らしい！」「おめでとう！」などと反応します。実際に「グッド・アンド・ニュー」を取り入れてみると、職場の雰囲気が一気に良くなることを体感できるは

■ グッド・アンド・ニューとは

進め方

- 4〜5人ほどでチームに分かれる
- Good（良かったこと）やNew（新しい気づき・発見）を言う
- それぞれ発表のあとには、発表者に対して拍手をする

例

- 落ち着いた電話対応ができた！
- ドラマがおもしろかった！
- 会社の近くにおいしいパン屋さんがあった！

メリット

- コミュニケーションが活性化する
- ポジティブに振り返りができる
- メンバー同士の相互理解が深まる

ポイント

- テンポよく出す
- どんなに小さいことでも言ってみる

ずです。

脳科学では、感情は伝染するといわれています。それはミラーニューロンという神経細胞の働きによるものです。ミラーニューロンは霊長類などの動物がもつ神経細胞で、自分以外の個体の行動や感情に反応して模倣しようとします。ドラマを観ていて感情移入して喜んだり怒ったり、時には悲しくなって泣いたりしますが、これもミラーニューロンの働きによるものです。

このように、ミラーニューロンは他人を見て自分のことのように感じる共感能力をつかさどっているので、同僚の子どもが初めて歩いたという話を聞いて、その同僚に感情移入し、自分までうれしくなるのです。これに限らず、プラスの感情を抱いたエピソードを共有することで、そのプラスの感情が職場内で伝染していき、職場全体の雰囲気が良くなるのです。

これを毎日やっていると、話すネタを用意しようという意識が働いて、常に良かったことを探すようになります。そうすると、日々の暮らしのなかでもフォーカスするところが変わりますし、常に良いことを探しているのでポジティブな気分になります。

こういった良い雰囲気をつくるための工夫を上司がするということは、とても大切です。そのうえで、互いに感謝や尊敬の気持ちを直接伝え合える段階に達する頃には、チームとしてかなり良い状態になっています。

人が笑うとき、脳は体の緊張状態を保つホルモン、コルチゾールの分泌を抑制します。それによってストレスを和らげて、気持ちを穏やかにします。また、免疫アップなど脳内麻薬ともいわれるエンドルフィンと、愛着を深めたりストレス反応を弱めて情緒を安定させたりするオキシトシンの分泌を促します。

今はインターネットを介してお笑い番組を好きなときに観ることができます。そういった番組を観ていると、どんなときに人は笑うのかという感覚がつかめてきて、グッド・アンド・ニューで同僚を笑わせようと、話す内容を考えます。もちろん、お笑い芸人ではないので必ず笑いをとらなければと力む必要はありません。ウケなかったとしても、それによって場の空気が和めばよいのです。職場の雰囲気が明るくなると、社員は楽しく会社に来ることができますし、コミュニケーションも活発になり、結果として離職率も下がる傾向があります。上司と部下というような上下関係がある場合、上司は部下の感情に強い影響力があります。上司の機嫌が部署の雰囲気を左右することもあります。上司が真面目になり過ぎないようにして社員同士で話しやすい雰囲気をつくることができれば、自然と助け合おうという意識も生まれてきます。

こうやって、ユーモアをもって接しつつ、締めるところはビシッと締めるというように、上司は優しさと厳しさの両方を併せもつことが大切です。上司には、部下が義務を果たすことを促す厳しい父性的な顔と、職場のメンバーを温かく包み込んで守る母性的な顔の両方が必要なのです。どちらかが欠けても、成果が上がりにくくなります。

デキない⑥ 新しいことに挑戦できない

【モデルケース】

Gさんは入社して5年目で、能力的にも問題なく、周囲とも良好な関係を築いています。上司はGさんに期待しており、新しいプロジェクトのリーダーを任せてみようと考えるようになりました。Gさんにとってもキャリアアップにつながるチャンスになるだろうと、上司はGさんにその話をしてみることにしました。

上司は、社内で新しいプロジェクトが立ち上がるかもしれないこと、そのリーダーにGさんを推したいということを伝えたのですが、Gさんの口から飛び出したのは上司にとって意外な答えでした。

「新しいプロジェクトのリーダーなんて、私には到底できそうにありません……。あっ、私の同期の○○さんだったらきっと良いリーダーとしてみんなを引っ張ってくれると思います！」

上司はGさんに期待を寄せていただけに、その答えにがっかりしてしまいました。せっかく仕事をしていくうえでの能力に恵まれていて、コミュニケーションも上手であり、リーダーとして活躍できる可能性を大いに秘めていながら、なぜこのチャンスをつかまないのかと、上司は歯がゆい気持ちになりました。

Gさんには成長しようという気がないのだろうか……。

そう思ってGさんの仕事ぶりを注意深く見ていたのですが、Gさんは自らのスキルアップのために自主的に勉強をしているようですし、その勉強で得た知識を後輩に惜しむことなく伝えている姿も見られます。仕事に対してやる気がないどころか、むしろ前向きに仕事に取り組んでいる様子が見て取れました。周囲に気を配り、先輩のアドバイスは素直に聞き、後輩には優しく根気よく指導しているGさんの姿は、やはりプロジェクトのリーダーに適任だろうと上司は思いました。そこで再度Gさんに話をしてみると

「ダメです。私なんかにリーダーは務まりません。しかも新しいプロジェクトなんて、私なんかがリーダーを務めたら、きっと失敗してしまいます。そんなことになったら申し訳なくて、とても挑戦する気にはなれません……」

と、目に涙が浮かんできました。そのGさんの様子からは、リーダーになると仕事が大変だから避けようとしているわけではないことが伝わってきました。しかし、上司としてはGさんの能力や人柄を知れば知るほど、新しいことに挑戦してステップアップしてほしいという思いが強くなります。その上司の思いとは裏腹にGさんはなかなかチャレンジしようという姿勢にならず、上司はもどかしい思いを抱えています。

たとえ成功しなくても挑戦は成長をもたらす

Gさんは能力が十分にあり、コミュニケーションの面でもまったく問題なく、上司も新しいプロジェクトのリーダーとして申し分ないだろうと評価しています。しかし、上司との会話のなかでも「私なんか」という言葉を連発しながら、挑戦することを拒んでいます。もともと自分に自信がなく、挑戦しても、私はきっと失敗して迷惑をかけてしまうと信じている可能性が考えられます。

このタイプは、挑戦は良いものだということを認識する必要があります。人は新しいことに挑戦すると、成功したか失敗したかにかかわらず成長することができます。成功すれば成功体験を得て成長するのはもちろん、失敗から学ぶことも多く、失敗しなければ分からないこともたくさんあります。

しかし、新しい挑戦ができない人は、失敗はいけないこと、結果が悪ければプロセスも含めて全面的にダメだというビリーフをもっていることがよくあります。これは大人になってから急にそうなることはありません。子どものときに形作られるものです。

挑戦とは、その人がもつ能力を超えるような結果を目指すということです。そのため、その人の能力でやってこられた仕事をこなしているときよりも失敗の確率が格段に高くなります。同じ失敗を何度も繰り返すのは論外ですが、挑戦して失敗することを重ねるうちに、失敗の原因を分析して修正していくことができます。前に進むための失敗は必要不可欠なものです。

部下がこのタイプであれば、挑戦することに対してどんな感情が出てくるかをまず聞いてみます。すると、多くの場合、怖いと答えます。それを確認したら、なぜ怖いと感じるのかを対話を通して探っていきます。このタイプは、挑戦してみたもののうまくいかなくて、周囲に迷惑をかけてしまうことや、「あいつはダメだ」と否定されることを極端に恐れています。否定されることが怖いという部下の気持ちを受け止めたうえで、「今まで頑張って挑戦したけれどうまくいかなかった人で、評価が下がった人って誰がいたかな?」と聞いてみます。すると、部下は挑戦して失敗しても評価が下がった人はいないということに気づきます。

さらに、上司から「うちの会社で、挑戦して一生懸命頑張ったのにうまくいかなかったことで、評価が下がることはないよね。むしろ挑戦しなかったら評価が下がるけど。挑戦してうまくいかなかったとしても、それは次に向けたステップだから成長のきっかけにもなるからね」と励まします。そして「逆に新しい仕事に挑戦せずに評価が高い人はいるだろうか?」と問いかけます。すると、部下は失敗を恐れて挑戦しないことによって、結果的に自分の評価を下げていることに気づくことができます。

こうやって、新しいことに挑戦したら失敗して評価を下げてしまうというビリーフを壊していきます。人は挑戦するからこそ新しい経験ができて、能力が伸びていきます。それは良い評価にもつながります。

さらに部下の得意なことにたとえて話すと、より実感しやすくなります。スポーツを子どもの頃からしていた部下であれば、最初は失敗ばかりしていたけれど、練習を積み重ねるうちに上手になったエピソードを思い出させる、といった具合です。音楽や絵画などの芸術でも同様です。スポーツでも芸術でも、最初は基礎から始めて、新しいことに挑戦するといったことの繰り返しで上達してきたはずです。

そのことに部下本人が気づくようにしていき、ビリーフが書き換われば、行動は自然に変わります。

前に進む失敗には価値がある

そもそも挑戦に失敗はつきものです。挑戦というのは、自分の実力以上の仕事をしようとすることだからです。挑戦して失敗したとしても、その失敗を踏まえて改善点を洗い出し、再び挑戦するというように、前に進むことができれば失敗には価値がありま す。

自分の能力を超えたところに挑戦するのは成長の機会でもあります。だから、挑戦したときの失敗は悪いことではなく歓迎すべきものです。上司としては、責任は自分がとるからどんどん挑戦するように部下に伝えるべきです。

挑戦したときの失敗は経験値を上げ、成長を促します。そう考えると、失敗によって一時的に会社に損失があったとしても、長い目で見れば会社にとってはプラスになります。その考え方を部下と共有して挑戦を促していきます。

評価の仕方を見直すことでチャレンジしやすくなる

評価の仕方を見直すことで、部下の挑戦しようという気持ちを引き出すこともできます。これまでに結果のみを評価してきたのであれば、結果に至った過程も評価するようにすると、部下はチャレンジがしやすくなります。結果に至るまでには本人もいろいろ考え、努力してきたので、上司側はそこを客観的に見て評価するようにします。

部下の挑戦を振り返って良かったことと改善すべきことを挙げていくと、すべてがダメだったわけではないということが分かります。失敗すると悪かったことにばかり目がいきがちです。しかし、挑戦していった過程には、うまくいったこともあったはずですし、その挑戦によって前に進んだこともあるはずです。そこを汲み取って評価するようにすると、部下は失敗を恐れずチャレンジしやすくなります。

このケースでも、失敗を分析して前に進むためのツールとして勧めたいのがクリアリングです。取り組みを振り返って、良かったこと、改善すること、今後どのように改善するかについて、それぞれ箇条書きのような形で挙げていきます。うまくいかなかったことを反省するというスタンスではなく、前に進むための分析をするのだというスタンスで取り組みます。

これに上司が目を通して必要に応じてフィードバックしていけば、次に活かすことができます。上司の目から見て、部下が挙げている要素だけでは不十分だと思うことがあるようなら「ほかにも良かったところ（改善点）があると思うよ。もう少し考えてみて」と再考を促します。

私の会社ではビジネスチャット上にクリアリング用のグループをつくっています。どんなツールでも構いません。グループをつくり、互いのクリアリングを共有することがチーム全体の成長につながります。

部署のメンバーに書いてもらったら、上司は必ず目を通すことが重要です。だからといって、その都度すべてに詳細なフィードバックをする必要はありません。クリアリングをするうえで大切なのは、部下本人がクリアリングの重要性を理解し、自分の頭で考え、自分の業務を自分で修正していけるようになることです。ですから、上司は部下がクリアリングをしっかりやっているかどうかだけをチェックすればよいということになります。

ビジネスチャットなどのツールを使ってクリアリングのグループをつくると、上司だけでなく部下同士でも互いのクリアリングの内容を目にすることになります。そこではかの人のクリアリングから学ぶこともできます。上司が目を通すだけでなく、部下同士でクリアリングの内容について自然と話し合う空気が出てくれば、チームとしての成長が加速していきます。

私は社員と月に1回面談をしています。社員には事前にその1カ月を振り返ってクリアリングをしてきてもらい、面談のなかで部下の話を聞きます。社員の話を聞いていると、なかには本当の原因が見えていないケースもあることに気づきます。ただ、ほとんどは経験値の問題で、気づけないのも仕方ないだろうと思えることがほとんどです。その場合は、本当の原因がどこにあるのか、どのように対処すればよいのかを私からアドバイスしています。

逆に、話を聞いていていてその社員の気づきが重要なことだと感じれば、すかさず素晴らしい気づきだと称賛したうえで、ほかのメンバーに共有したのかを確認しています。まだしていないということであれば、すごく大切なことだから、ほかのメンバーにも詳しく共有するように伝えます。

毎日のクリアリングに詳細なアドバイスをすることは物理的に難しくても、月に1回、一人あたり30分の面談のなかでのフィードバックであれば、それほど難しくないと私は感じています。

クリアリングをもとにした面談は、私が社員を称賛する場にもなります。クリアリングには良かったところがたくさん書かれているので、それを見て「すごいね、素晴らしいね！」というように、声を掛けることができます。うまくいかなかったために生じた改善点であっても「よく考えているね。これ、とってもいいアイデアだよね」と褒めることができます。さらには「このアイデアを実行すれば、うまくいきそうだね。めちゃくちゃいいアイデアだから、みんなにも共有してね」などと伝えると、社員は肯定的な感情をもちながら改善しようと思えます。

失敗したことの報告の場合、うまくいかなかったことを伝えるだけだと、報告する部下も気が重くなりますし、報告を受ける上司もあまりいい気分ではありません。しかし、うまくいったことの話から入り、改善点と次にどうするかという本人の考えを共有していく流れで話ができれば、上司も部下も前向きな気持ちで面談を終えることができます。

挑戦というのは本人にとって困難なことに取り組んでいるわけですから、成功するまでには時間がかかります。もし、上司が最短期間で結果を出したいなら、その業務をするにあたって十分な能力のある人に仕事を振るべきです。

しかし、部下を育てるうえで大切なのは、その仕事について最速で結果を出すことではなく、その仕事に挑戦したことで部下が成長し、前に進めるかどうかです。なかでも、新卒社員を育てる場合にはどうしても時間がかかります。ただ、時間がかかったとしても部下が成長していけば、その部下の経験や身につけた能力は会社にとって素晴らしいリソースになります。

社員の挑戦による失敗を糾弾するような組織に成長はありません。社員が新しいことに挑戦でき、失敗から学べる組織にしようと考えるならば、社員が安心して挑戦できる環境をつくり、上司は長い目で見ていく必要があります。

デキない⑦ 失敗しても反省しない

【モデルケース】

Hさんは入社3年目で業務にも十分に慣れているはずなのに、時々大きなミスをします。今回のミスは、取引先からの連絡をHさんが同僚にきちんと伝えなかったことが原因の発注ミスでした。そのために大きな損害が出てしまい、会社としても痛いミスでした。

上司から見れば、明らかに取引先からの連絡を伝達しなかったHさんの行動が原因でした。しかし、Hさんは堂々と言い訳を始め、取引先からの連絡がなかったか自分に確認してこなかった同僚のせいだと主張しました。

これには同僚も黙っていられないとばかりに反論しましたが、Hさんは自分が悪いはずがないと主張し、最終的には会社のシステムが悪いというところにまで話が及びました。この調子で、Hさんはミスをするたびに他人のせいにしたり、環境のせいにしたりして、どんなときにも自分に原因がある可能性は少しも考えていない様子です。しかも弁が立つので、周囲もついついHさんのペースに引き込まれて、不満ばかりが溜まっているという状況でした。

上司としてこの状況を放置しておくわけにはいかないと、Hさんを会議室に呼び出し、話を切り出しました。今回の件については、Hさんがきちんと取引先の連絡を同僚に伝えていれば防げたことなのではないかと上司が話すと、Hさんは突然声を荒らげて反論を始めました。とても冷静な話し合いといえるものではなく、上司に対して敵意を剥き出しにしてきました。

上司としては次につながるようにアドバイスをしたかったのですが、Hさんはまったく聞く耳をもちません。なんとか分かってもらおうと、言葉を選び、話をしようとした上司に向かってこう言い放ちました。

「会議室に呼び出してミスについて詰めるなんて、パワハラじゃないですか！　僕、会社のパワハラの窓口に言いますよ！」

Hさんの今後のために、良かれと思って話をしようと頑張っていた上司でしたが、Hさんのリアクションにすっかり心が折れてしまいました。やっとの思いで話を切り上げると、精根尽き果てて、自分のデスクに戻りました。

正直なところ、Hさんとはもう関わりたくないというのが本音です。けれども、上司としては関わらざるを得ないし、会社のことを考えればHさんに態度を改めてもらわなければなりません。このまま放置しておけば、また同じようなことが起こるかもしれません。とはいえ、失敗してもまったく反省する様子がなく、失敗の原因をほかの人や環境のせいにばかりしているHさんをどのように諭していけばよいのか想像もつかず、上司は途方に暮れてしまいました。

反省すべき失敗と分析すべき失敗がある

Hさんは、上司に対して部下である自分がどう振る舞うべきかが分かっておらず、あまりにも問題が大きいため、本来採用すべきではありません。子どもの頃にタテの人間関係を身につけることができなかった典型的なケースです。さらには他責思考が強く、明らかに自分のミスが原因で会社に損害を出しているのに、自分は悪くないと主張して、うまくいかなかったことは他人のせいにしています。しかも、注意しようとする上司に対して敵意を向け、アドバイスに耳を傾けていません。ここまで紹介してきたなかでも、最も厄介なケースです。

上司としては、長期的に見て、まずはセルフコントロールの訓練を促していく必要があります。失敗の原因の矛先をすべて他者に向けるクセがあるので、まずは失敗の原因を考えるときに矢印を他人ではなく自分のほうに向けるようにしなければなりません。失敗するたびに人のせいにしている限りHさんは成長しませんし、失敗を自分のせいにされる同僚も苦しくなります。

Hさんのようなタイプはクリアリングをしても、改善点を考えるときに自分以外のことにばかり意識が向かいがちです。そのため、上司は本人のクリアリングをそのままにしておくのではなく、必ず目を通しておかしいところがないかをチェックする必要があります。

失敗には反省すべき失敗と分析すべき失敗があります。本来なら防げていたのにうっかりしてしまったようなミスは反省すべき失敗です。一方、難しいことに挑戦してうまくいかなかったというのは分析すべき失敗です。過去と同じ失敗を繰り返したのであれば反省すべき失敗で、そのときのクリアリングに問題があったので、反省のうえ分析をし直す必要があります。このケースでHさんがしてしまった連絡の伝達ミスは反省すべき失敗です。多くの人はこの区別ができるのですが、Hさんのようなタイプは、本人が他責思考から脱することができなければ、自分の失敗を正しく分析して次に活かすことはできません。

他責思考から脱却させる声かけ

さらに厄介なのは、Hさんのようなタイプは、自分のミスについて直接指摘されると拒絶反応が出やすいということです。

その拒絶反応を和らげつつ上司が伝えたいことを話すには、あたかもHさんとは関係ない別人の話をするかのように切り出すことです。そうすると、Hさんのようなタイプでも冷静に聞ける可能性が高まります。

例えば、「前の会社での話なんだけど」とか「ほかの部署であったことなんだけど」という枕詞をつけて、Hさんのことではないかのように話していくのです。

「前の会社にいたとき、関係部署への連絡を怠ったために大きなミスをしてしまった後輩がいて、事前連絡が必要な理由をちゃんと説明してあげればよかったと今でも後悔しているんだよ」というように、まったく他人の話のように伝えると素直に耳を傾けることもあります。赤の他人の話であれば、直接自分に言われているわけではないので、心理的なブロックが発生せずに聞けるというわけです。

このタイプの場合はポジティブであるがゆえに、失敗したときに自分に問題があったと反省しないため、同じ過ちを繰り返してしまう傾向にあります。ですから、自身の失敗に対して反省することの重みを理解できれば改善する余地はあります。

それにHさんのように態度があまりにもひどいようであれば、改善よりも先に上司のほうが時間も精神力も削られてしまいます。そのため上司側のメンタルケアも考慮しなくてはいけません。私自身もこのタイプへの対応にはずいぶん苦戦してきましたし、同じような悩みを抱える管理職も多いと思います。ですから会社全体の生産性に影響が出ることを考慮するならば、被害者意識や他責思考が極端に強い傾向がある人は、やはり極力採用しないことがいちばんだと思います。

「デキない」の原因を理解すれば理想の上司像も見えてくる

7つの「デキない」のモデルケースから分かることは、それぞれ、部下自身が変わることで解決できるもの、上司が対処することで解決できるもの、会社の仕組みを変えることで解決できるものに分けられるということです。いずれの場合にも、原因を理解することが、解決のための第一歩です。「デキない」を抱えた部下でも、成長して職場に欠かせない戦力となる可能性をもっています。その部下たちについて、チームのなかでどんな能力を活かすことができるのかを上司が見極めて伸ばすことができれば、部下たちは会社で働くことが楽しくなります。

ただし、被害者意識や他責思考が極端に強いタイプは内省しないため、解決に導いていくことは非常に難しいというのが本音です。いかに自責思考に切り替えられるか、本人が本気で自分のことを変えたいと思えるかが重要であり、本人の精神面を考慮しつつ注意や指導をすることが必要だと思います。このように組織に大きなマイナスの影響を与えるタイプもあると知っておくこともリスク対策の観点から重要だといえます。

そのようなタイプも含めて、すべての部下との関わり方を理解し、一人ひとりの能力を引き出して楽しく働くことができれば、チーム全体のパフォーマンスは上がり、上司のマネジメント能力も高く評価されます。部下たちは自分を理解し、伸ばそうとしてくれる上司に感謝し、尊敬の念を抱くに違いありません。そうやってつくられた絆の強いチームは、部下たちにとって幸せな職場であるだけでなく、巡り巡って上司自身にとってもかけがえのない存在となります。

第4章

部下の成長は、企業の飛躍に直結する！適切なアプローチで指導の達人を目指す

指導・育成の重要性を改めて考える

部下を育てるというのは、上司にとって重要な仕事の一つです。時間も労力もかけて一生懸命育てているつもりなのに、思うように育たないという悩みは多くの上司に共通するものです。私自身も、かつては成長が見られない部下にいら立ったり、何度注意しても改善が見られない部下に腹が立ったりしたこともありました。

しかし、部下がつまずいている本当の原因がどこにあるかを知れば、部下と接するときの気持ちが変わるはずです。これまでは、何度も注意しているのになぜ集中して仕事ができないのかなどと、腹を立てていたかもしれません。これに対し、集中できないのは、仕事に価値を感じられないからなのだというように、本当の原因が分かれば、解決に向けた対処法が見えてきます。

部下の指導に悩むあまり、上司のほうが精神的に追い込まれてしまうようなことは望ましくありません。すぐに変化がなくても仕方ないと割り切ることも必要です。

そうやって上司が部下を育てていくことができれば、部下に任せることのできる仕事が増え、上司はマネジメントという本来の重要な役割に集中することができます。部署全体のパフォーマンスも上がり、ひいては会社の業績アップにつながっていきます。部下の指導・育成は、会社の業績を伸ばしていくうえで不可欠なものなのです。部下が挑戦できる環境を用意し、成長につながる失敗は肯定し、部下たちが楽しく仕事ができるチームをつくることができれば、社員全員が幸せに働くことができます。

部下が心を開ける上司になるためのセルフクエスチョン

部下と対話して「デキない」の本当の理由を探っていく過程では、部下があなたに対して心を開いて話せるようになることが不可欠です。

20〜70代までの人に尋ねた、職場の上司に関する意識調査（2020年）があります。困った上司のもとで働いたことがあると答えた人は94・9％にのぼっています。どんな

■困った上司のもとで働いたことはありますか？（n＝314）

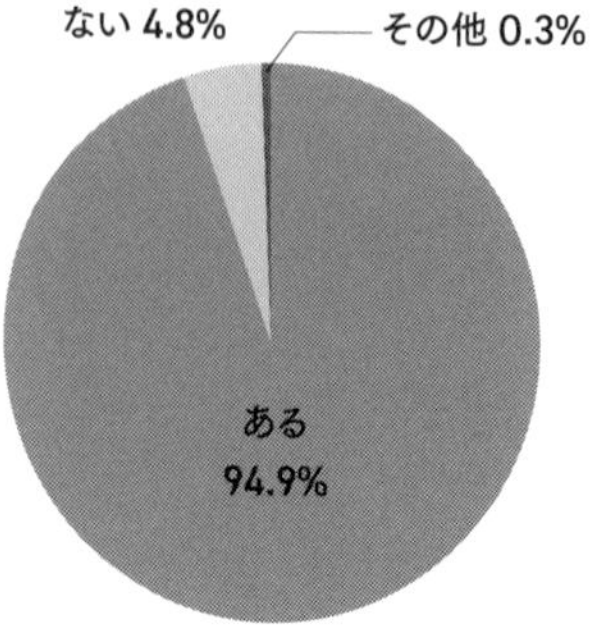

アンケート実施期間：2020年6月24日～7月5日（12日間）
対象：日経メディカル Onlineの登録会員
有効回答数：314人

日経メディカルOnline「第11回職場の上司に関する意識調査」

ときに困ったかと聞くと「部下や他者への責任転嫁をする」が最も多い49・3％、続いていずれも44％台で「指示・指導・ゴール設定が的確でない」「人によって態度を変える」が続きます。

上司が部下に手を焼いている一方、部下も上司の仕事ぶり、リーダーシップをよく見ています。失格とされたら、心を開いてくれることなどありません。部下が心を開いてくれるような上司になるために、次に挙げるセルフクエスチョンを自らに投げかけてみると有効です。

①私は、部下やチームの今の状態や結果を、どのようにつくり出したのだろうか？

■上司のどんな対応に困ったか

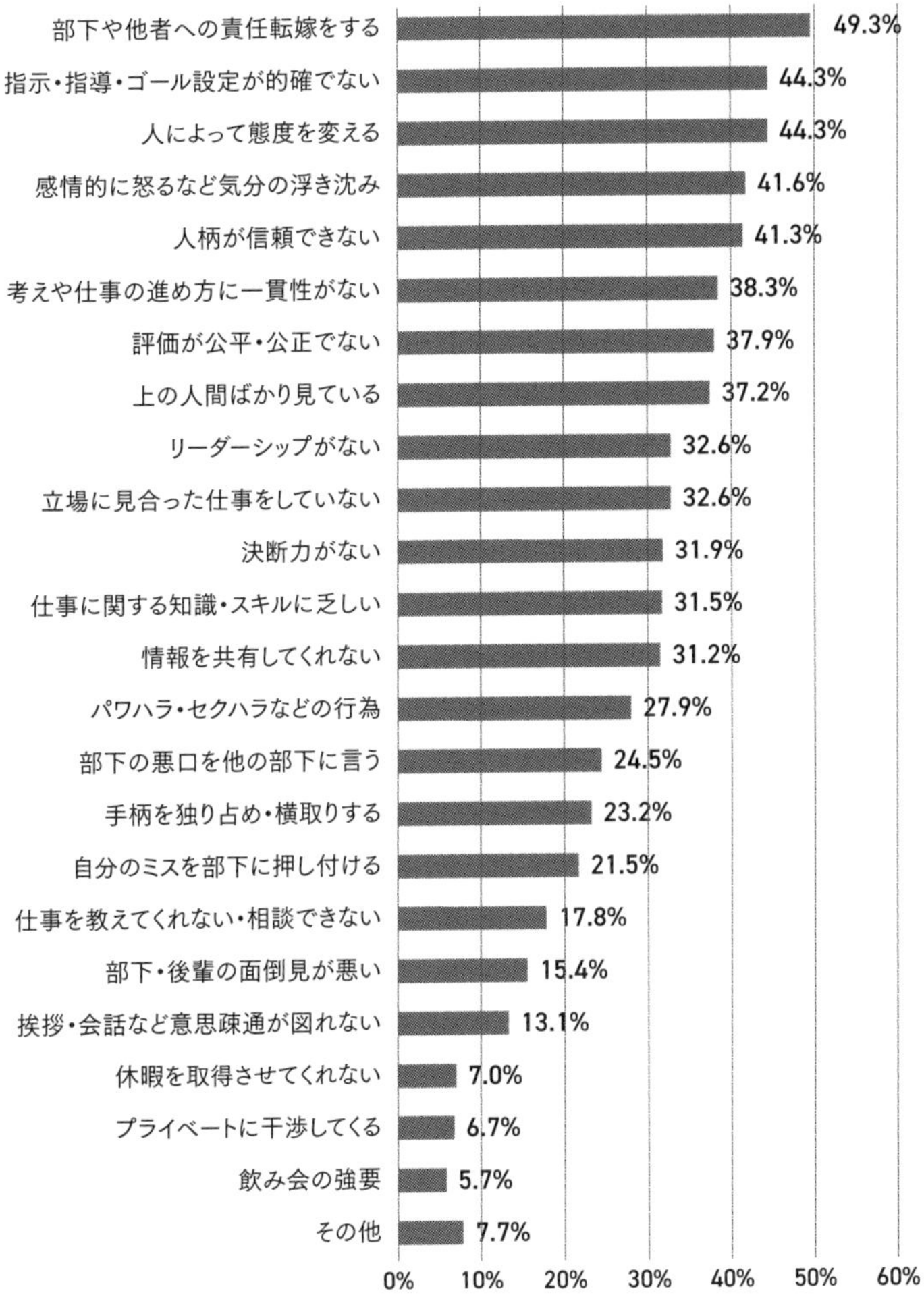

日経メディカルOnline「第11回職場の上司に関する意識調査」

②この部下の素晴らしいところはどこだろう?
③この部下にはどんな可能性があるのだろうか?
④部下のこの行動にはどんな肯定的意図があったのだろう?
⑤自分が部下の立場なら、今どんな接し方をされるとやる気を失うだろうか?
⑥自分が部下の立場なら、今どんな接し方をされるとやる気が出るだろうか?
⑦この出来事から、自分は部下にどんなことに気づいてほしいのか? それを気づかせるために有効な質問は何だろうか?

それぞれの質問には次のような意図があります。

①私は、部下やチームの今の状態や結果を、どのようにつくり出したのだろうか?
この質問には、今の部下やチームの現状は「自分自身がつくり出した結果である」という前提が含まれています。この質問をすることで、自分がマネジャーとして、何をしたから今の状態になったのか、または何をしなかったから今の状態になったのか、どの

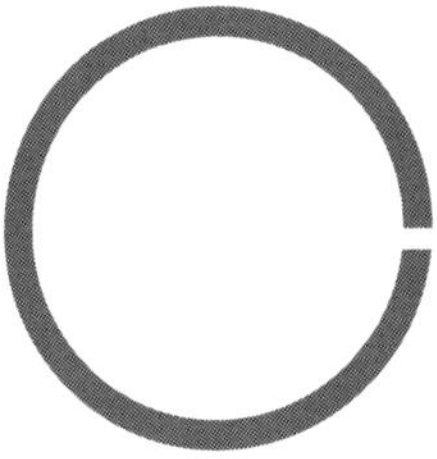

円の隙間に目がいくように、人間は無意識の
うちに足りないところを探してしまう

ようなコミュニケーションをとってきたからこうなったのか、と完全に自分に矢印を向けることができます。

この質問を抵抗なくできるマネジャーは、それだけで優秀なマネジャーであるといえるほど重要な質問です。

②この部下の素晴らしいところはどこだろう？

悪いところばかり見ている上司のもとでは部下は伸びません。良いところを見て伸ばしていくことが重要です。チームとして見たときに、その部下の素晴らしいところはどこなのかを探すようにします。

人間はどうしても足りないところに目がいくものです。例えば、円を描いたときに、上の図のように少しでも隙間があれば、その隙間に目がいってしまいます。

特に、マネジャーとなっている人は、自分は人一倍仕事ができて、自分に課している基準も高いのだということを自覚したうえで部下を見るようにすることが重要です。自分の基準で部下を見てしまうと、足りないところにばかり目がいってしまいがちです。足りないところばかりを指摘されていると、部下のモチベーションはどんどん下がっていきます。

コインの表も裏も側面も同時には見られないように、人間は誰しも見方にクセがあり、ニュートラルに全体像を見ることはなかなか難しいものです。しかし、「この部下の素晴らしいところはどこだろう?」という質問を意識しながら部下を見るようにすれば、部下の素晴らしい面に気づけるようになります。チームとして強くなるためには、チームのなかでその部下の素晴らしい部分はどこかを把握し、伸ばしていくことが重要なのです。

③この部下にはどんな可能性があるのだろうか?

もし、部下の長所を活かして伸ばしていくことができたら、どんな可能性があるだろうかということを考えてみます。

野球を例に考えてみると、ホームランバッターにズバ抜けて速く走れる走力は必ずしも必要ありません。また、盗塁の上手な選手にホームランを量産できるほどの打力が必ずしもいるわけでもありません。ホームランを打つのが得意な選手はその力を磨けばよく、盗塁の上手な選手はその力に磨きをかければよいのです。ごくまれに大谷翔平選手のような複数の能力が桁違いに優れている選手もいますが、それはあくまで例外です。野球の監督はそれぞれの選手の特性を把握し、ここぞというところで力を発揮できるように采配をとります。

これと同じように、上司は目の前の部下にはどんな長所があって、それをチームのなかでどう活かせるか、その結果どんな可能性があるかを考えるようにします。チームとして見たときにその社員の尖っている部分はどこかを見極めて伸ばしていくようにしたほうが、チームとしての総合力を上げることができます。

④ 部下のこの行動にはどんな肯定的意図があったのだろう？

上司の目から見たら、「なぜそんなことをしたのだろう」と思えるようなことでも、部下本人には、その行動をした肯定的意図が必ずあります。肯定的意図というのは、一見ネガティブな考えや行動であっても、その根っこにある本当に望んでいるポジティブな思いや目的のことです。すべての行動には肯定的な意図があるという基本原則を、上司は知っておく必要があります。

上司から見たら、なぜそんなことをしたのだろうと首をかしげたくなるような行動であっても、本人は会社のためにとか、顧客のためにとかいうように、良かれと思ってやっている可能性があります。本人に話を聞いてみると、意図自体は良いのにやり方の選択を間違えていて失敗しているということがよくあります。

そうやって失敗してしまったとき、頭ごなしに上司に叱られると部下はモチベーションが下がってしまいます。顧客のためにとか、会社のためにとかいうように、良かれと思ってやった思いの部分まで含めて、丸ごと否定された気持ちになるからです。

部下の意図が会社の方針とずれていなければ、部下の意図を素晴らしいと認めたうえで、「せっかくその素晴らしい意図があったのに、結果としてこういうふうになっていることについて、どう思う?」と聞いてみます。そうすると部下からはたいてい悲しいとかつらいとかいった言葉が返ってきます。そこで「ここから何を学ぶ？」とか「じゃあ、次からはどうする？」と話を進めていけばよいのです。部下の失敗を叱る必要もありません。

部下の立場になって考えてみれば、自分が失敗したことに対して、そういうふうに話を進めてもらえればうれしいと感じるであろうことは想像に難くありません。部下は失敗によってモチベーションが下がるどころか、逆に上がるはずです。部下の意図を上司が肯定することで、こういう意図をもってやるのは良いことなのだという認識が部下のなかで固まります。

上司がよくやってしまいがちな間違いは、部下が失敗したことに対して、部下の意図を汲み取ることなく批判することです。そうではなく、部下の意図を汲んで、次はどうすればよいかを自分の頭で考えさせ、場合によっては部下が考えるのを手伝います。

⑤自分が部下の立場なら、今どんな接し方をされるとやる気を失うだろうか？
⑥自分が部下の立場なら、今どんな接し方をされるとやる気が出るだろうか？

これらの質問の目的は、一度上司という立場を離れて、自分の接し方のクセを、客観的に分析することが目的です。コインの例でいうと、表側からばかり見ていたのを、裏側に回って見ることで、自分のクセが見えてくることがあります。最もてっとり早いのは部下とのやりとりを録画して自分の姿を観てみることです。普段まったく気づかなかったことに気づくことができるはずです。

例えば、自分ではそんなつもりはなかったのに、こんな表情でこの言葉を言ったら相手に誤解されるかもしれないとか、こんな口調で言ったら部下は責められているように感じるかもしれないとかいったことに気づくことができるのです。職場でのやりとりを録画するのはなかなか難しいかもしれませんが、ポイントはできるだけ自分を客観的に見たり考えたりしてみるということです。

⑦この出来事から、自分は部下にどんなことに気づいてほしいのか？　それを気づかせるために有効な質問は何だろうか？

この質問を自分に投げかけることで、上司が自分の感情に飲み込まれなくなります。

上司も一人の人間ですから、腹が立つこともあって当然です。この質問によって、焦点が目の前で起きた出来事から部下の今後の成長に移ります。

怒りの感情をぐっと抑えた状態で会話をしていても、部下は上司が隠している怒りを感じ取ります。口では「○○さんのために」と言っていても、部下には上司の怒りの感情が見えているので、上司が純粋に自分のために言ってくれているとは感じられません。

しかし、上司が自分に怒りの感情があることを認識して、この質問を自身に投げかけることで意識が変わります。部下にどんなことを気づかせたいのか、この機会に部下をどう成長させたいのかということを考え始めた途端、怒りの感情から離れることができます。

質問で本人に気づかせると次の行動につながりやすい

これまでの人生を振り返ってみて、長々と説教をされたことを思い出してみると、説教をされてうんざりしたという記憶は残っていても、言われた内容についてはまったく覚えていないことも多いはずです。

説教という言葉は、「説《と》」いて「教」えると書きます。部下は上司から一方的に説教されたと感じたことは印象に残らず、何も身につかずに終わることが多くあります。そうではなく、部下本人に気づかせるように対話をしていくと、次の行動につながりやすくなります。一方的に説教されたことに比べて、自分で得た「気づき」は圧倒的に深いものなので、次の行動に移る確率も高くなるのです。

部下本人に気づきを促すためには、どんな質問をするかが重要です。「この件についてどう感じる?」とか「これをやったときに、どういうことに注意すべきだと思う?」とかいうように、状況に合わせて、部下に気づかせたいことを引き出すような質問を投げかけます。「あなたがその立場だったらどう感じる？」「お客様の立場ならどう感じるかな？」というように、立場をおき換えたり、「これまでにはどういう危機管理をしてきた？」「ほかにどんな方法があったと思う？」と部下の視野を広げたりするなど、質問によって部下に考えさせていきます。

質問をするときには「これとこれとではどちらが重要だと思う？」とか「これはイエスかノーか、どっちだと思う？」とかいうようなクローズド・クエスチョンで流れを誘導し、部下に深く考えてほしいところまできたら「あなたはどうしたらいいと思う？」とオープン・クエスチョンで考えさせます。

なかには、質問を次々と重ねてしまい、詰められていると部下に感じさせるような聞き方をしてしまう人もいます。そんな失敗を避けるには次のように話を進めていきます。

まず「うまくいったところはどんなところだと思う？」などと、部下からうまくいったところを引き出して、「今回のことから学んだのはどんなことか教えてくれる？」というように聞いていきます。そうやって部下の話を聞き、肯定したうえで「次はその学びをどう活かそうと考えてる?」と聞いてみます。

このような流れで話を進めていけば、部下は自分なりの考えを返してくるはずです。それを受けて、上司が良いと思えば褒めて、「それだとうまくいきそうな感じがする?」と問いかけます。部下から「できそうな感じがします」という言葉を引き出すことができれば、「僕もそんな感じがするよ。じゃあ次から頑張ってね」と最後に力づける言葉を添えれば、話の中身はミスへの対処だったとしても、互いに気持ちよく終わることができます。

このやりとりでのポイントは、次はどうしようと思っているのかという変容の部分について、上司からどうすべきかを言うのではなくて、部下の口から語らせるようにすることです。そうすると、対話の効果が格段に上がります。

どんなに素直な人だったとしても、心から尊敬、信頼している相手以外から頭ごなしに「こうやったほうがいいんじゃないか」と言われたら、どことなくモヤモヤした感じが残り、気持ちよく行動に移すことはできないはずです。

それに対し、自分が話すことについて興味をもって聞いてくれて、「素晴らしいね、さすがだね」と褒めてくれる上司であれば、この人は自分のことを理解しようとしてくれていると信頼の気持ちが芽生えます。その流れで「今回学んだことはどんなことなの？」と聞かれれば、自分の考えを素直に口にすることができます。また「次からどうしようと思っているの？」と問われれば、一生懸命に考えて答えようとするはずです。その発言を肯定されれば、部下はきっとうまくいきそうな気持ちになっているはずです。そこで最後に上司から「応援しているよ」という一言を添えれば、部下は前向きな気持ちで仕事に取り組めるに違いありません。

機能体組織としての会社

部下が前向きな気持ちで仕事に向かえるようにするために、部下たちが楽しいと感じられる職場にすることは大切です。しかし、会社は趣味を楽しむサークルとは違います。ただ単に楽しければよいというものではありません。企業には社会に価値を提供して利益を上げ、その利益を使ってさらに大きな価値を提供するという使命があります。

それを達成するために存在しているのが会社という組織です。

組織には機能体組織と共同体組織があります。機能体組織は外部に目的があり、それを達成するためにつくられた組織のことです。一般的な企業はこの機能体組織にあたります。機能体組織では、最小のコストで最大の効果を上げることが理想とされます。目的を達成するためには、指示系統がスピーディーであり、上層部の意思が迅速に組織のメンバーに伝わることが大切です。また、機能体組織では、個人の希望よりも組織の目的達成が優先されます。例えば、社員は会社から異動の辞令が出れば、違う部署で働きたいという個人的な希望があったとしても、基本的には従わなければなりません。その結果として会社の業績アップにつながれば、個人の希望よりも会社の方針を優先した社員は報酬という形で報われることになります。

一方、共同体組織は組織内の個人の心地よさや好みの充足のためにつくられた組織です。クラブや同好会がこれにあたります。もともとは血縁や地縁などをもとに自然発生的につくられる組織を指していましたが、近年ではインターネットを介して意図的につくられる共同体もこれに含まれます。共同体組織の価値は結束力や仲間意識の高さで測られ、重視されるのは公平性や充足感です。個人の意思が尊重され、メンバーはおのおのの価値観で行動します。

会社はあくまでも機能体組織です。部下が楽しいと感じられる職場にするために工夫はしたとしても、上司と部下の間には埋められない立場の差があることを忘れてはなりません。上司と部下は同じ目的のために同じ方向を見て助け合う仲間ではありますが、その立場の差を踏まえたうえで、上司は部下を信頼し、部下も上司を信頼するという信頼関係を築いていくことが、会社という組織で活動していくうえでは大切です。

部下の能力を最大限に引き出せる達人を目指す

部下との間に信頼関係を築き、部下の能力を最大限に引き出すことができれば、部署にとっても会社にとっても、上司であるあなたにとっても大きなメリットがあります。

さまざまな会社で研修をしていると、部下の指導を考えるうえで、理想の上司像はどのようなものかと聞かれることがあります。理想の上司像には絶対的な正解があるわけではありません。慕われる上司にもさまざまなタイプがいます。部下のタイプによっても、理想の上司像は異なります。部下を信じて優しく見守ってくれる上司の下で伸びる人もいれば、部下のためを思って厳しく指導する上司の下で伸びる人もいます。気さくな雰囲気で接する上司の下で伸びる人もいます。

上司にも部下にもいろんなタイプがいますが、部下を伸ばせる上司に共通するのは愛情をもって本気で部下のことを考える人だということです。そのうえで、タイプに応じて適切な対応ができれば、どんな部下でも伸ばしていくことができます。

実際に世の中にはいろんなタイプのリーダーがいます。大きく3つに分けられると私は考えています。

1つ目はビジョンで引っ張るタイプです。例えば、スティーブ・ジョブズは圧倒的なビジョンを示して、それに共鳴できる人だけがついてくればよいと考えていたようです。自分の求める基準を満たさない人には、容赦なく辞めるように通告していたという話もあります。世の中や業界をガラッと変えるようなことを成し遂げるリーダーには、このタイプがよく見られるように感じます。

2つ目は仲間一人ひとりの価値観や考えを尊重するタイプです。このタイプは包容力があり、社員の間に絆をつくってチームをまとめていくことが得意です。

3つ目は相手が求めていることを汲み取って、相手が欲しいものを絶妙なタイミングで提供することでモチベーションを刺激して人を動かしていくタイプです。

この3つのうち、一人の人間のなかに複数の要素を見いだすこともできます。

理想の上司像は会社のスタンスともリンクします。圧倒的なビジョンを示している会社には、仕事を通して世の中に影響を与えたいと考える人が集まります。その会社で尊敬を集める上司は、そのビジョンのもとに部下を引っ張っていくタイプです。

社員を大切にし、誠実に顧客と向き合う会社には、仕事を通して人から感謝されることを望む人たちが集まります。そんな会社では、愛情をもって部下を指導する上司が慕われます。

成果で評価される会社であれば、成果主義が好きな人たちが集まります。そういう会社では、自分の求める報酬を得るために厳しく叱咤してくれる上司が理想とされることもあります。

会社から求められる理想の上司像があり、部下から求められる理想の上司像がありま す。経営層が求めている上司のあり方を踏まえたうえで、自分の上司としてのあり方を考えてみると、自分が目指すべき上司像が見えてきます。

上司として部下を指導していくうえで外せないのは、部下を成功させることです。上司が「部下を成功させよう」「部下を幸せにしよう」というマインドでいれば、部署の雰囲気も良くなり、成果も上がります。自分を成長させてくれる上司がいて、その上司は自分の幸せを願ってくれているという環境は部下にとって居心地の良いものになるはずです。私はそういう上司のあり方こそが理想であると考えています。

おわりに

これまでに企業の経営者から社員の相談を受けたことは数え切れないほどあります。そのたびに私が思うのは、「誰が悪いわけでもない」ということです。

この本では、7つの「デキない」の原因を明らかにし、その対処法について説明してきました。この対処法は業界業種を問わずすぐに実践できる内容です。今までに考えたこともなかったようなところに原因があったことに驚いた人もいたかもしれません。部下本人に原因がある場合もあれば、上司に原因がある場合もあり、会社の仕組みに原因がある場合もあります。

どこに原因があるにしても、誰かが絶対的に悪いということはないのです。それぞれが良かれと思ってやっていることが、会社という枠組みの上司－部下という関係性のなかでうまく噛み合っていないだけに過ぎません。

本書で紹介したような「デキない」を抱える社員のことをお荷物のようにいう人もな

かにはいます。確かに、いつまでも成長が見られない部下を指導する立場にあれば、愚痴の一つも言いたくなるでしょう。それに外部に社員教育のセミナーを依頼しても、なかなか効果が表れないことも事実です。私が顧問を務める法人のセラピストやビジネスコーチたちであれば「デキない」の原因に基づいたアプローチが可能なので太鼓判を押せるのですが、同じように本当に効果が出せるような業者は一握りしかいないように思います。

しかし、そんな視点で部下を見ている限り状況が変わることはありません。目の前の部下の素晴らしいところはどこか、可能性はどこにあるのかという問いを頭におきながら接するだけで見えてくるものが変わってくるはずです。さらには、自分が部下の立場だったらと相手の立場になって考えることで、あなたの態度も変化するでしょう。そうすれば、部下はあなたに心を開いてくれるようになり、同じ話をしても反応が変わってきます。

部下は上司のことをよく見ています。上司の言葉や表情などから、本気で自分のことを考えてくれているかどうかを感じ取りますし、上司が心のなかで思っていることと発している言葉の内容との間にズレがあれば、敏感に察知します。

私自身も一人の経営者として日々社員と接しており、月に1回の頻度で一人あたり30分の面談をします。社員が自分で行ったクリアリングをもとに話をしてもらうのですが、私がすることといえば、それぞれの社員の話に耳を傾け、良いと思ったことにはすかさず「いいね！」「素晴らしいね！」と心からの称賛を送るということです。そうすると、社員たちは次にどうすべきかを自分の頭で考え、積極的に挑戦していきます。そんな社員たちは非常に頼もしい存在です。

私が心から尊敬する松下幸之助の「任せて任さず」という有名な言葉があります。これが私の目指しているマネジメントの理想形であり、部下の仕事を細かくチェック・管理するマイクロマネジメントでは人は育たないと考えています。

マネジメント側に求められる姿勢は、部下を信じて任せることです。信用はまだなくてもあえて信頼することで、部下はその信頼に応えようと頑張ります。仮にそのときはうまく結果を残せなくても、その失敗を上司がカバーすれば、部下は次こそ頑張ろうというマインドになります。失敗した経験は成長を速める糧となるので、部下自身が失敗を恐れずにどんどん挑戦していける風土形成にもつながります。

部下の成長を願うこと、部下の成功を願うこと、部下の幸せを願うこと――。

これらは企業の成長につながり、巡り巡って上司自身にも返ってきます。人は自分のことを本気で考えてくれる上司に恩返しがしたいという気持ちになるものです。部下のことを愛情をもって真剣に考えられる上司のもとには、その上司を心から尊敬する部下が育ちます。さらに、社員が「この会社は本当に自分のことを大切にしてくれている」と感じられるようなら、その会社は「絆」の強い会社になります。

世の中で業績の上がっている企業のなかには、社員を使い捨てのコマのように扱う会社も存在します。それでも業績を上げて、〝大きな〟会社になっていくことはあります。しかし、社員を大切にし、社員から愛される会社ならば〝絆の強い〟会社に育ちます。絆の強い会社は社風が良くなります。そうすると、社員も会社に行くことが楽しくなり、仕事を楽しみながら集中して取り組むので、結果として業績も目覚ましく伸びていきます。

社員をコマのように使うけれど大きい会社と、社員から愛されて絆の強い会社のどちらが良いかといえば、私が目指すのは絆の強い会社です。そんな会社になるためには、職場の雰囲気を楽しいものにし、部下の成長を促すことのできる上司たちの存在が欠かせません。

この本では部下の「デキない」のタイプ別に、原因と対処法を紹介してきました。対処法には今日から取り入れられるものもあれば、長い年月をかけてコミュニケーションを積み重ねていく必要があるものもあります。いずれにせよ、部下を伸ばすための第一歩は「デキない」の本当の原因を知ることです。原因を知ることで、部下の「デキない」に腹が立つこともなくなり、感情に引っ張られることなく対応することができるようになります。

この本がきっかけとなってあなたが部下の力を伸ばせるようになり、それが会社の業績アップにつながって、上司であるあなた自身の幸せにもつながるとしたら、こんなにうれしいことはありません。

現在、部下の育成や指導に悩んでいる方たちに向けて、質問法をまとめた動画を公開しており、下の二次元バーコードから視聴できます。少しでも読者の皆様のお役に立てることを願っています。

井上 顕滋（イノウエ・ケンジ）

1970年生まれ。Result Design株式会社を2004年に設立。企業研修、経営者、経営幹部への指導実績は3000社を超える。エグゼクティブコーチ、メンタルトレーナーとしてオリンピック出場の日本代表選手や世界一に輝いたプロスポーツ選手もサポートしている。世界最先端の心理学および脳科学を各分野の世界的権威から徹底的に学び、人それぞれのもつ能力を最大限に引き出す、独自の能力開発メソッドを確立。クライアント企業に対する実績として「1年間で離職率8分の1」「2年間で経常利益26.8倍」「営業成約率平均31.9%UP」などがある。自らも経営者として30年以上の部下育成の経験をもつ。2011年に未来の成功者を育てるため、小学生を対象とする日本初の非認知能力専門塾Five Keysを設立。2015年には非営利型一般財団法人日本リーダー育成推進協会（JLDA）を創設し代表理事に就任。現在は特別顧問。

本書についての
ご意見・ご感想はコチラ

7つの“デキない”を変える
“デキる”部下の育て方

2024年1月30日　第1刷発行

著　者　　井上顕滋
発行人　　久保田貴幸

発行元　　株式会社 幻冬舎メディアコンサルティング
〒151-0051　東京都渋谷区千駄ヶ谷4-9-7
電話　03-5411-6440（編集）

発売元　　株式会社 幻冬舎
〒151-0051　東京都渋谷区千駄ヶ谷4-9-7
電話　03-5411-6222（営業）

印刷・製本　中央精版印刷株式会社
装　丁　　弓田和則
装　画　　千野エー

検印廃止

Printed in Japan
ISBN 978-4-344-94752-8 C0034
幻冬舎メディアコンサルティングＨＰ
https://www.gentosha-mc.com/